Español
a la vista

Oxford

Isabel Alonso
de Sudea

OXFORD
UNIVERSITY PRESS

Great Clarendon Street, Oxford OX2 6DP

Oxford University Press is a department of the University of Oxford. It furthers the University's objective of excellence in research, scholarship, and education by publishing worldwide in

Oxford New York
Auckland Bangkok Buenos Aires Cape Town Chennai
Dar es Salaam Delhi Hong Kong Istanbul Karachi Kolkata
Kuala Lumpur Madrid Melbourne Mexico City Mumbai Nairobi
São Paulo Shanghai Singapore Taipei Tokyo Toronto

with an associated company in Berlin

Oxford is a registered trade mark of Oxford University Press in the UK and in certain other countries

First published 1998

Reprinted 1999, 2000, 2002

ISBN 0 19 912115 X

Printed in Spain

Acknowledgements
Every effort has been made to contact copyright holders of material reproduced in this book. Any omissions will be rectified in subsequent editions if notice is given to the publisher.

The author would like to thank Cathy Knill for her invaluable support and advice throughout the project; Hetty Sookias for working jointly on the Hojas Extras and her helpful comments on the Student's book; Paco Sudea for his patience and support in proofreading and in general; Marie Gorman; María Burrel; all the students and staff at Whitefield School Barnet, London for their support and encouragement; all the students del 4 ESO and staff at the Escola Pia and Instituto; the Hotel Santa María in Sitges, Spain; The Colombian Embassy and Consulate; Sitges Tourist Board; Consulates of Argentina, Chile and Ecuador for permission to reproduce materials; Shakira Mebarak and Italo Lamboglia for their interest and photos; **Muy Interesante** for permission to reproduce the text *Adiós a las drogas*, and the diagram *¿Qué hacemos los españoles para perder peso?*; Raleigh International.

Audio recordings are by Colette Thomson, Footstep Productions Ltd.

The publishers would like to thank the following for permission to reproduce photographs:

Allsport: pp 153 (top), 161 (middle); **Collections/Anthea Sieveking:** p 146; **Corbis/James Amos:** p 145 (top); **Corbis/Jonathan Blair:** p 32 (top); **Corbis/Michael Buselle:** p 53 bottom middle); **Corbis/Joseph Sohm/ChromoSohm Inc:** p 172; **Corbis/Chinch Gryniewicz/Ecoscene:** p 156 (bottom); **Corbis/Jack Fields:** p 163; **Corbis/Owen Franken:** pp 76, 79; **Corbis/Dave Houser:** p 102 (top left); **Corbis/James Marshall:** pp 139, 157 (top); **Corbis/Kelly-Mooney Photography:** p 53 (right); **Corbis/Francesco Muntada:** p 168 (top & bottom); **Corbis/NASA:** p 143; **Corbis/ Tim Page:** p 147 (top); **Corbis/The Purcell Team:** pp 97 (top left), 144 (bottom right); **Corbis/Paulo Ragazzini:** p 97 (bottom left); **Corbis/Chris Rainier:** p 161 (bottom right); **Corbis/Hans Georg Roth:** pp 53 (top left), 97 (top right); **Corbis/Jim Sugar Photography:** p 173; **Corbis/Nik Wheeler:** pp 97 (bottom right), 115, 168 (middle); **Corel Professional Photos:** p 19 (bottom), 39 (top left), 39 (top middle), 51, 74 (top right), 88, 114 (bottom left), 126, 127; **Popperfoto:** p 161 (top right); **Popperfoto/Reuters:** p 161(left); **Press Association:** p 144 (top right); **Rex Features:** p 33 (bottom); **David Simson:** pp 6, 7,10, 13, 14, 17, 27, 28, 29, 30, 32 (bottom), 34, 37, 39 (bottom middle), 46 (middle left & right, bottom left & right), 47 (top), 48, 53 (top right), 58, 60, 62, 63, 68, 74 (upper middle right), 77 (middle & right), 82 (left), 89, 90, 93, 94, 95, 99 top, middle & bottom right), 100, 102 (lower middle left), 105 left & bottom right), 112, 114 (top right), 116 (top right & bottom right - E), 118, 119 (left), 120 (both), 121 (middle & bottom), 123, 132 Top & B & C), 134, 138 (bottom), 140, 144 (top left), 152, 153 (bottom), 154, 156 (top), 164 (A & B), 167 ; **South American Pictures/Tony Morrison:** pp 39 (bottom left, top right & bottom right),
144 (bottom left) ; **South American Pictures/Chris Sharp:** p 39 (middle right); **Spanish Tourist Board:** pp 74 (top, top left & upper middle left), 102 (upper middle left, bottom left & top middle), 104, 119 (right); **John Tagholm** p 56 (bottom); **Telegraph Colour Library:** p 138 (top); **Tom Vernon:** p 56 (top).

All other photographs are from **Isabel Alonso de Sudea**

The illustrations are by Martin Aston; Kessia Beverley-Smith; Peter Byatt; Stefan Chabluk; Karen Donnelly; Celia Hart; Oxford Illustrators; Shaun Williams.

..Introduction . . . .

Welcome to **Español a la vista**. This course has been devised and written not only for your examination purposes but with you very much in mind. The four *Etapas* (modules) take you systematically through the topic areas of your examination, and help you to develop your listening, speaking, reading and writing skills to a high level.
There are opportunities for you to revise work done earlier, and some topics are revisited in a variety of ways throughout. There is also plenty of new language ranging from the straightforward to the more challenging. Here is an outline of the way the course works:

- Each *paso* (unit) offers you a variety of activities, some of which are differentiated to help you practise tasks in all four skills at ▼ foundation and ▲ higher levels.

- There is a wealth of recorded material with a variety of speakers and voices which represent the full hispanic range (Spain, the Balearic and Canary islands, and Latin America). If your school has the facilities, you can make a copy of these cassettes to work with on your own.

- There is plenty of opportunity for group and pair work, especially in preparing roleplays and dialogues. A list of useful roleplay expressions is provided on page 197.

- *Ojo* boxes are included to remind you of something with which you should already be familiar.

- *¿Te ayudo?* boxes provide language to help you manage the task.

- *Preguntas claves* boxes show you the key oral questions for a topic. A list is provided on page 195 to help you prepare for your exam.

- The *Extra A* pages offer useful tips on how to develop your listening, speaking, reading and writing skills as well as dictionary work, vocabulary learning and study skills.
The *Extra B* pages contain materials to help you practise these tips.

- The *Investigación* pages give you the opportunity to work in groups on the preparation and presentation of more ambitious projects, bringing all your skills together in more extended work.

- The *Oriéntate* pages give examples of grammar points and revision which have been covered during the preceding units.
The *Taller* pages are designed for you to work through these grammar and revision points with your teacher.

- The *Gramática* section provides a summary of all the main points of grammar that you will need for your exam. An index at the back of the book shows you where to find information and practice exercises.

- The *Vocabulario* provides a quick vocabulary reference and complements your dictionary work.

The symbols used in the course are as follows:

 = pairwork

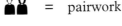 = listening item

🗏 = dictionary work

The tasks in **Español a la vista** will prepare you well for your examination, but I hope you will find them interesting in their own right. To do well you will need to work hard; I am confident that this course will guide you through the work and help you get the best out of your efforts.

¡Enhorabuena, ánimo y adelante!

Indice de materias ● ● ● ● ● ● ● ● ● ● ● ● ● ● ● ● ● ●

¿Quién soy yo? ●

Nos preparamos

1 ¿Quién es?

Escucha. Cuatro personas hablan de su país y nacionalidad. Identifica la foto.

A
Elena,
España

B
Alejandro,
Colombia

C Pilar,
Islas Baleares

D Guillermo,
Islas Canarias

2 Me presento

a Lee los datos personales de Elena.

Apellido	García
Nombre	Elena
Dirección	Calle Italia 31, 2o izqui Madrid, España
Teléfono	532 27 69
Edad	15 años
Lugar de nacimiento	Madrid
Nacionalidad	Española

Me presento Soy española y vivo en Madrid. Tengo quince años. Soy **bajita** pero ni **gorda** ni flaca. **Mido** 1m 53 y **peso** 48 kg más o menos. El **pelo** lo tengo **largo y liso** y de color **negro**. Los **ojos** también los tengo negros. **Me encantan** todos los deportes sobre todo la natación y soy **fanática** del cine. Quiero ser médico y voy a estudiar ciencias.

b Contesta a las preguntas.
▼ Di una sola palabra o frase.
▲ Escribe una frase entera.

1 Elena, ¿es española o colombiana?
2 ¿Tiene quince años o trece años?
3 ¿Vive en Mallorca o Madrid?
4 ¿Es alta o baja?
5 ¿Tiene el pelo largo o corto?
6 ¿Qué deporte le gusta más?
7 ¿Le gusta el cine?
8 ¿Qué va a estudiar?

oJo

español(a)	inglés/esa
colombiano/a	irlandés/esa
canario/a	galés/esa
mallorquín/ina	escocés/esa

3 ¡Hola!

a Practica la conversación con tu compañero/a.

– Hola, buenos días.
    – Buenos días.
– ¿Cuál es tu apellido?
    – García.
– ¿Y tu nombre?
    – Elena.
– ¿Cómo se escribe?
    – E-l-e-n-a.
– ¿De dónde eres?
    – Soy de Madrid.
– ¿Cuál es tu teléfono?
    – Es 532-27-69.

b A ti te toca.
Inventa otra conversación. Usa las preguntas claves para ayudarte.

Preguntas claves

¿Cómo te llamas?
¿Dónde vives?
¿Cuánto mides / pesas?
¿De qué nacionalidad eres?
¿Cuándo es tu cumpleaños?
¿Cuál es tu fecha / lugar de nacimiento?
¿De qué color tienes los ojos / el pelo?

¿Te ayudo?

yo	me llamo / tengo / vivo / soy / estoy
tú	te llamas / tienes / vives / eres / estás

4 ¿Cómo eres?

Mira este grupo de fotos. Son amigos de todas partes del mundo.

a Lee. ¿Quién es?

> Buenos días. Soy argentino. Creo que tengo una cara distinguida con facciones aristocráticas - pelo canoso, ojos negros y nariz aguileña. También llevo gafas.

b Escucha y rellena las casillas. Luego identifica la foto.

Ejemplo:

número	pelo	cara	nariz	ojos	carácter	nombre
1	negro	redonda	pequeña	grandes	deportista	?

Gerardo

Sally

Zhang Fan

Kirit

Carla

Maja

c Describe tres de las fotos a tu compañero/a.

d Escribe una descripción para dos otras fotos.

> **¿Te ayudo?**
>
> Se llama ...
> Tiene el pelo / los ojos / la cara / la nariz ...
> Es ...
> Vive ...
> Está ...

5 ¿Soy así?

a Busca la palabra opuesta. Usa un diccionario si lo necesitas.

reservado/a   simpático/a   perezoso/a   antipático/a   malo/a   agradable   juicioso/a

tímido/a   extrovertido/a   travieso/a   trabajador/a   bueno/a   desagradable   sociable

b Lee las frases siguientes. Escoge una sola palabra para resumir.

1

Me encanta salir a discotecas.

2

Me gusta leer y hacer mis deberes.

3

Ayudo en casa.

4

No hago nada en todo el día.

c Inventa otras definiciones buscando más ejemplos en tu diccionario.

6 ¡Así soy!

Y tú, ¿cómo eres? Escoge cinco palabras para describir tu personalidad.

Ejemplo: Soy simpático/a y ...

7 ¿A quién admiras?

▼ En cinco minutos, haz una lista de 10 palabras para describir a una persona que admiras. Después haz otra lista para una persona que desprecias.

▲ Haz una descripción oral o escrita de no menos de 80 palabras. Escoge a un personaje famoso que admiras y a otro que desprecias.

Ejemplo: La persona a quien más admiro / desprecio se llama ... y es ...

8 Os presento a mi familia

a Escucha y lee. Alejandro os presenta a su familia.

Aquí está mi familia; se ve que somos un grupo grande. Mis abuelos, padres de mi mamá están muertos ya pero los de mi papá viven cerca. Mis padres se llaman Octavio y Rita y son simpáticos. Mis dos hermanos son Juan Pablo que tiene diez años y es cómico y Sebastián el menor (el benjamín). Sólo tiene cinco años y es bastante tímido. Yo soy el mayor claro y soy alegre y extrovertido. Mira mi perro – se llama Lisi.

b Escucha a Guillermo, Elena y Pilar hablando de sus familias. Rellena las casillas. Después identifica la foto.

Ejemplo:

nombre	hermano(s)	edad(es)	hermana(s)	edad(es)	foto
Alejandro	2	10, 5	–	–	A

c Escoge la buena respuesta.
1 En la familia de Elena hay cinco / ocho / seis personas.
2 Elena tiene un gato / canario / acuario.
3 Pilar vive con sus abuelos / tíos / padres.
4 Pilar es la mayor / la menor / la mediana de sus hermanas.
5 Guillermo es hijo único / tiene hermanos gemelos / tiene hermanas gemelas.
6 Guillermo no tiene abuelos / tiene tres abuelos / tiene un abuelo.

d Toma el papel de Elena, Pilar o Guillermo y describe a tu familia. Tu compañero/a adivinará quién eres.

¿Te ayudo?
tiene – tenemos
vive – vivimos
es – somos
se llama(n) – nos llamamos

Dicho
De tal palo
tal astilla

9 El árbol genealógico

▼ Dibuja el árbol genealógico de tu familia. Clasifica a cada persona.
▲ Escribe un retrato de tu familia. Sigue el ejemplo de Alejandro.

oJo

madre	padre
abuela	abuelo
tía	tío
hermana	hermano
hermanastra	hermanastro
gemelas	gemelos
prima	primo
nieta	nieto
sobrina	sobrino
hija única	hijo único

PARENTESCOS

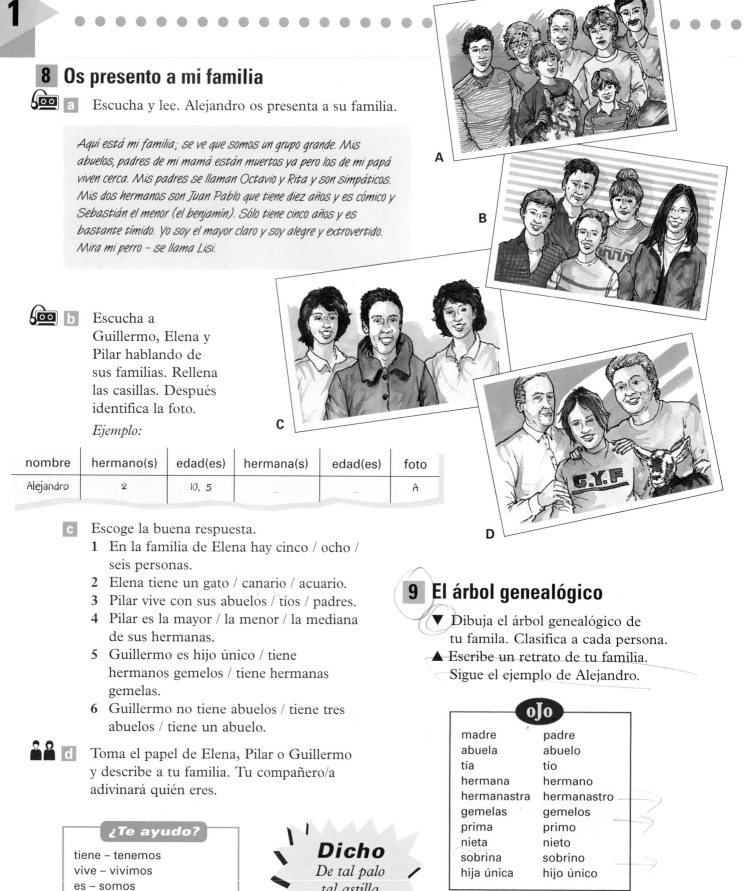

10 Tu signo diferente

a Escucha el cuento chino.
  ▼ Anota los animales que menciona.
  ▲ Explica el cuento a tu compañero/a.

b ¡Mira este horóscopo distinto! Busca tu fecha de nacimiento. ¿Qué animal te corresponde a ti?

c ¿Cómo eres? ¿Es verdad o mentira? ¿Tú qué opinas?

d Haz una lista de tus cualidades.

Ejemplo: Soy una serpiente.
La serpiente es seria, elegante y tranquila.

e Haz lo mismo para tus hermanos o hermanas y los demás en tu familia.

Ejemplo: Mi mamá es …

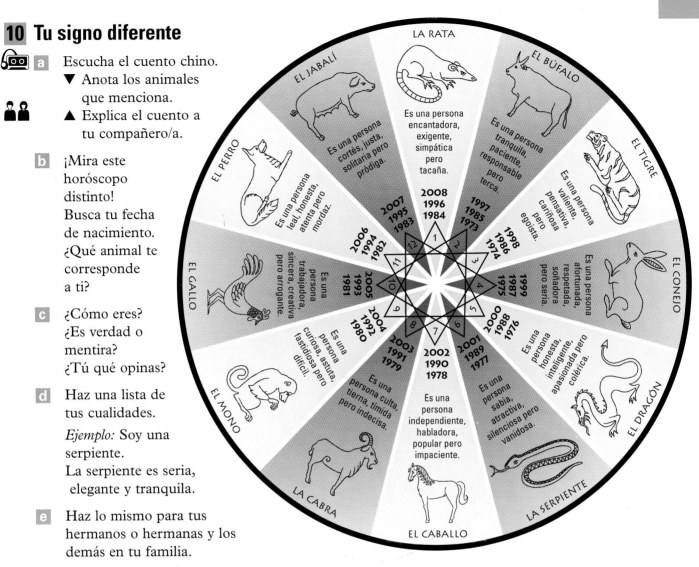

LA RATA — Es una persona encantadora, exigente, simpática pero tacaña. **2008 1996 1984**

EL BÚFALO — Es una persona tranquila, paciente, responsable pero terca. **1997 1985 1973**

EL TIGRE — Es una persona valiente, pensativa, cariñosa pero egoísta. **1998 1986 1974**

EL CONEJO — Es una persona afortunada, respetada, soñadora pero seria. **1999 1987 1975**

EL DRAGÓN — Es una persona honesta, inteligente, apasionada pero colérica. **2000 1988 1976**

LA SERPIENTE — Es una persona sabia, atractiva, silenciosa pero vanidosa. **2001 1989 1977**

EL CABALLO — Es una persona independiente, habladora, popular pero impaciente. **2002 1990 1978**

LA CABRA — Es una persona culta, tierna, tímida, pero indecisa. **2003 1991 1979**

EL MONO — Es una persona curiosa, astuta, fastidiosa pero difícil. **2004 1992 1980**

EL GALLO — Es una persona trabajadora, sincera, creativa pero arrogante. **2005 1993 1981**

EL PERRO — Es una persona leal, honesta, atenta pero mordaz. **2006 1994 1982**

EL JABALÍ — Es una persona cortés, justa, solitaria pero pródiga. **2007 1995 1983**

11 Mis animales

Escucha a los niños hablando de sus animales y rellena las casillas.

animal	color	tamaño	característica

oJo

masc.	fem.
-o	-a
rojo	roja
verde	
azul	

12 A ti te toca

▼ ¿Te gustan los animales?
 ¿Tienes un animal en tu casa?
 ¿Qué tienes? ¿Cómo es?

Ejemplo: Tengo un(a) … Es … (color, tamaño, característica)

▲ ¿Y a tu familia?

Ejemplo: A mi mamá / papá le gusta …

¿Te ayudo?

un gerbo / jerbo	un ratón
un hámster	unos insectos de palo
un conejo (de Indias)	una araña
un cobayo	una culebra

2 En torno mío

1 Os presento a mi amigo

 a Escucha y lee.

> Mi amigo también es compañero de clase. Le encanta el deporte y siempre practica el baloncesto durante el recreo. Se llama Alberto; mide 1.80; tiene el pelo rubio bastante rizado. Es más bien serio cuando estudia pero después de las clases es bromista y cómico.

b Di si la frase es verdad o mentira.
Corrige las frases incorrectas.

1 Alberto es bajo.
2 No hace nada durante el recreo.
3 Tiene el pelo rizado.
4 No va al mismo colegio que Guillermo.

c Contesta a las preguntas.
▼ Escribe una sola palabra.
▲ Escribe una frase completa.

1 ¿Qué deporte practica Alberto?
2 ¿De qué color es su pelo?
3 ¿Cómo es cuando estudia?
4 ¿Y después?

2 ¡Amistad es …!

a ¿Tú qué opinas? Lee estas frases.

No fuma.

Nos divertimos juntos.

Siempre está cuando le necesito.

Me entiende.

Tiene buen sentido del humor.

Hacemos los mismos deportes.

Es guapo/a.

Nos gustan las mismas cosas.

Es inteligente.

Nos comprendemos.

Se viste bien.

Me escucha.

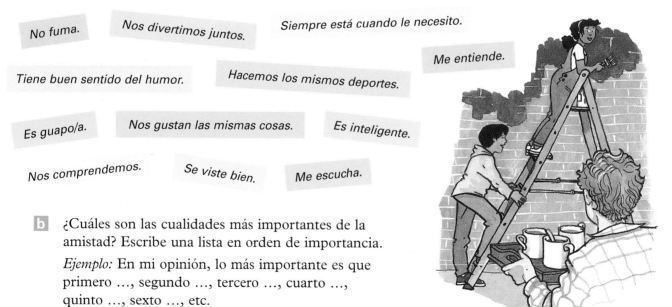

b ¿Cuáles son las cualidades más importantes de la amistad? Escribe una lista en orden de importancia.

Ejemplo: En mi opinión, lo más importante es que primero …, segundo …, tercero …, cuarto …, quinto …, sexto …, etc.

3 Mis pasatiempos

a Empareja los símbolos con sus nombres.
Ejemplo: 1 = el baile

| 1 | 2 | 3 | 4 | 5 |
| 6 | 7 | 8 | 9 | 10 |

los sellos
la pesca
la fotografía
las cartas
los caballos
el ajedrez
las artesanías
la música
el baile
el judo

 **b** Escucha las entrevistas. Haz una lista para cada persona.
Ejemplo: Elena = 1, 5

4 En mis horas libres

Completa las frases.
▼ Di la palabra.
▲ Escribe la palabra más adecuada.

1 Voy al cine para ver una _____ buena.
2 Voy a la biblioteca para _____ y buscar información.
3 Voy a la piscina para clases de _____ .
4 Voy al _____ para ver un partido de fútbol.
5 Me gusta _____ porque me ayuda a relajar.
6 Me gusta coleccionar sellos porque es _____ .
7 Me gusta jugar al _____ porque me hace pensar.
8 Me gusta ir a tertulias para _____ a gente.

| conocer | pescar | ajedrez | interesante | estadio | natación | leer | película |

5 ¿Por qué?

Practica estas preguntas con tu compañero/a.
Ejemplo: **A** ¿Por qué vas al cine?
　　　　　 B Porque es entretenido.

¿Por qué	tocas juegas practicas coleccionas haces montas	la guitarra / el piano? al tenis / al fútbol? el judo / el baile? los sellos? la fotografía? a caballo?
Porque	es interesante / entretenido / diferente / algo nuevo.	
Para	conocer a gente / aprender / relajarme / adelgazar / mantener la forma.	

6 Encuesta

Pregunta a tus amigos y compañeros/as:

¿Cuál es tu pasatiempo preferido?
¿Por qué?
¿Cuándo lo haces?
¿Cuántas veces?
¿Cuánto tiempo pasas?
¿Dónde?
¿Qué te gustaría hacer?

oJo

a mí me gusta / me gustan
me gustaría / me gustarían

¿Te ayudo?

cada día
dos veces a la semana
pocas veces
una hora los jueves
de vez en cuando
a ratos
siempre que puedo
raramente
poco tiempo

7 Mi trabajo

a Empareja los empleos con los dibujos.
Ejemplo: A = 2

1	dependiente/a	**5**	cajero/a
2	peluquero/a	**6**	repartidor(a)
3	camarero/a		(de periódicos)
4	canguro		

b Escucha a unos amigos hablando de su trabajo. ¿Qué hacen?

c Escucha otra vez. ¿Qué opinan del empleo?

1 Es fácil.   **2** Es aburrido.

3 Paga bien.   **4** Me cansa.

5 Paga mal.   **6** Es difícil.

d ¿Dónde trabajan? Busca la palabra en tu diccionario si no la sabes.

A   B

C   D

E   F

e ¿Qué trabajo haces tú? ¿Dónde trabajas? ¿Qué opinas?

8 ¿Qué empleo escoger?

a Lee los anuncios y escoge un empleo para cada persona abajo.
Cuidado: hay seis personas y sólo cinco anuncios.

1 Soy fuerte en matemáticas y me gusta la rutina.

2 Quiero trabajar con niños y me gustaría enseñar.

3 Me gustan las plantas y quiero trabajar al aire libre.

4 Me gustaría inventar platos deliciosos y trabajar en un restaurante famoso.

5 Quiero ser una estrella. Tengo buena voz y toco la guitarra.

6 Me gusta la informática y quiero trabajar con computadores.

b ¿A ti qué te gustaría hacer? ¿Por qué? Contesta oralmente.

ANUNCIOS

Buscamos jardinero; horas flexibles; tel: 893.22.34

Se requiere chico/chica mayor de 18 años; 4 horas sábado – oficina

Invitamos a personas con talento musical para audiencias

Ayudante de cocina – favor llamar a 864.36.79

Madre soltera busca ayuda llevando hijos al colegio mañanas solamente

¿Te ayudo?

Me gustaría ser …
Quiero trabajar con / en el sector …
Soy fuerte en / Me gusta(n) …

9 Mi propio dinero

 Unos jóvenes hablan de su dinero. Escucha y anota.
- ¿Cuánto reciben?
- ¿De quién?
- ¿Cuándo?
- ¿Cómo lo gastan?

10 A ti te toca

a Piensa en todos los trabajos posibles para una persona de tu edad.

b Clasifícalos en dos listas – los que te gustarían y los que no te gustarían.

c Escribe una carta. Si en realidad no tienes un empleo escoge uno que te gustaría o uno que no te gustaría. Explica lo que haces, dónde trabajas y qué opinas.

> **Preguntas claves**
>
> ¿Tienes un (pequeño) empleo?
> ¿Dónde trabajas?
> ¿Qué opinas?
> ¿Cuánto ganas? ¿Es por hora?
> ¿Media jornada / Jornada entera?
> ¿Es suficiente o insuficiente?

11 ¡Juventud divina!

a Lee el texto.

¡Juventud divino tesoro ya te vas para no volver!

¡Niños explotados!
¡Seguramente nuestro gran poeta nicaragüense jamás pensaba en ellos cuando escribió estos versos tan conocidos ya!
  Unos trabajan porque les gusta. Otros trabajan porque quieren ganar para su bolsillo. La mayoría – la gran mayoría trabajan porque no tienen más remedio – es para sobrevivir.
  Muchos niños no tienen juventud. Se les acaba el momento en que pueden ganar su vida, sea como sea.

Emilio recoge flores en el mercado y va a la calle a venderlas. Andrés pasa todo el día limpiando zapatos y da los centavos que gana a su padre. Es el único jornal para una familia entera. Lucía y Carmela van de casa en casa recogiendo botellas vacías o cartón usado para luego venderlos. Carlitos, gamín de toda la vida, pasa su día en las calles limpiando los parabrisas de los coches parados en los semáforos … ¡Qué sí es poderoso nuestro señor don dinero!

b Escoge la respuesta adecuada.
1. Emilio, ¿recoge flores o botellas?
2. Andrés, ¿limpia coches o zapatos?
3. Lucía, ¿va sola o con Carmela?
4. Carlitos, ¿trabaja en el supermercado o en la calle?

> **Opiniones**
>
> «Me parece insoportable que el gobierno no pueda prohibir este tipo de explotación. Siempre dicen que no hay remedio pero yo creo que todos debemos poner de nuestra parte y poner fin a eso.»
>
> «Es inhumano que un niño tenga que vivir así. ¿Qué derecho tiene un padre de explotar a su hijo de esta manera?»

c ¿Tú qué opinas? Escribe tu reacción en forma de carta al periódico.

3 A diario •

METAS • rutinas • faenas • asignaturas

1 Mi día

a Lee las cartas de Alejandro y Pilar.

Me despierto temprano a las seis pero soy perezoso. No me levanto hasta las seis y media. Desayuno con toda la familia y salgo rápido de la casa. Llego al colegio generalmente a tiempo y tengo clases desde las nueve menos cuarto. Almuerzo a la una por lo general …

Meriendo a veces a las tres y media porque tengo clases hasta las cuatro y media. Me despido de mis compañeros y regreso a casa en seguida. Ceno con mis abuelos temprano. Me acuesto a eso de las diez. Me duermo soñando con mis hermanastros y mi mamá que viven en Barcelona.

oJo

los verbos que se cambian		
despertarse	e → ie	me despierto
almorzar	o → ue	almuerzo
despedirse	e → i	me despido

b Trabaja con tu compañero/a. Contesta a las preguntas. Toma el papel de Alejandro y Pilar.

Alejandro, ¿a qué hora te levantas / desayunas / llegas al colegio?

Pilar, ¿a qué hora regresas a casa / cenas / te acuestas?

2 ¡Qué contraste!

Bogotá a las cinco de la mañana

Palma de Mallorca

Mallorca a las doce del día

 a Escucha la llamada telefónica. Completa la frase.

Alejandro
Cuando yo estoy levantándome …
Cuando tú estás despidiéndote de tus amigos
Cuando yo estoy merendando
Cuando tú estás durmiéndote

Pilar
yo estoy almorzando.
tú _____ (estudiar).
yo _____ (acostarse).
tú _____ (regresar).

b Rellena los blancos.

1 Cuando Alejandro está levantándose Pilar _____ (almorzar).
2 Cuando Pilar está despidiéndose de sus amigos Alejandro _____ (estudiar).
3 Cuando Alejandro está merendando Pilar _____ (acostarse).
4 Cuando Pilar está durmiéndose Alejandro _____ (regresar) a casa.

3 Mis faenas

 a Empareja los dibujos con las frases. Utiliza tu diccionario para buscar los que no sabes.
Ejemplo: 1 = D

1 Limpio el coche.
2 Saco la basura.
3 Friego los platos.
4 Arreglo mi cama.
5 Riego las matas.
6 Paseo el perro.
7 No hago nada.
8 Lavo la ropa.
9 Corto el césped.
10 Pongo la mesa.
11 Hago las compras.
12 Paso la aspiradora.

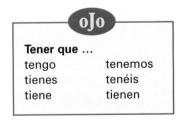 **b** Escucha y rellena las casillas.
Ejemplo:

Número	¿Qué hacen?	¿Cuándo?	Justo ✓ / Injusto ✗
1	paso la aspiradora	cada día	✗

c Escribe lo que haces tú durante una semana típica. ¿Qué opinas?

d Pregunta a tu compañero/a: ¿Tú qué tienes que hacer?
Ejemplo: ¿Tienes que limpiar el coche?

¿A cuántas contesta sí? ¿A cuántas contesta no?

Califícalo así
Si contesta sí:
1–3 veces es insuficiente.
4–6 veces es normal.
7–10 veces es bueno.
11–12 veces es sobresaliente.

¿Te ayudo?

Es justo / injusto
Es aburrido / pesado / bueno
Me choca
Me gusta
Lo odio

oJo

Tener que ...
tengo	tenemos
tienes	tenéis
tiene	tienen

4 Encuesta

¿Cuál es la faena que más se hace?
¿Cuál es la que menos se hace?
Pregunta a tus compañeros:

¿Qué haces?
¿Cuántas veces a la semana?
¿Qué opinas?

5 Mis asignaturas

a Escucha y escribe las asignaturas que faltan.

b Trabaja con tu compañero, por turnos.

    A ¿El lunes, qué asignatura tiene a las 11.30?

    B Tiene …

    B ¿Qué hay a las 9.30 el martes?

    A Hay …

	lunes	martes	miércoles	jueves	viernes
9.00–10.00	geo___ía	tecnología	len___	len___	___ología
10.00–11.00	dibujo	cie___	___oria	ciencias	___ujo
11.00–11.30	R E C R E O				
11.30–12.30	ing___	___cés	deporte	matemáticas	literatura
12.30–13.30	rel___	___icas	ciencias	geografía	inglés
13.30–15.00	C O M I D A				
15.00–16.00	___	historia	mat___	___ura	___oria
16.00–17.00	literatura	___ica	in___	informática	gimnasia

6 Mi evaluación personal

Lee el boletín escolar de Pilar.

NOMBRE Pilar   **APELLIDO** Rodríguez   **CURSO** 1 E.S.O.

Yo creo que voy bien en historia. He tenido sobresaliente todo el trimestre.

Siempre saco buenas notas en geografía y por eso pienso que soy fuerte en estas asignaturas.

Debo hacer más esfuerzo en religión porque muchas veces saco suficiente pero sé que puedo sacar mejor nota; bien o hasta notable. No me gustan las matemáticas – son difíciles para mí. El profe me pone deficiente a veces.

Metas
- hacer mis deberes cada noche.
- aprender de memoria vocabulario inglés.
- no olvidar uniforme de deporte.

¿Te ayudo?

Actitud	Calificación
excelente	sobresaliente
muy buena	notable
buena	bien
normal	suficiente
pasiva	insuficiente
negativa	deficiente
	tener éxito

7 ¿Cómo van?

Escucha y anota.

- nombre
- opinión / calificación
- asignatura
- actitud

oJo

Estoy estudiando   Estoy aprendiendo   Estoy leyendo

8 A ti te toca

a Escribe tu propia evaluación.

b Compara tu evaluación con la de tu compañero/a.

Preguntas claves

¿En qué asignatura(s) eres fuerte?
¿En qué asignatura(s) vas mal?
¿Qué asignatura(s) prefieres?
¿Qué asignatura(s) no te gusta(n)?
¿Por qué?

9 Nuestro fin de semana

Pilar

Me encanta levantarme de madrugada los sábados. Me gusta salir a caballo temprano, a las seis, cuando apenas los pájaros se están despertando. A mis abuelos les gusta si les ayudo a hacer las faenas en casa por la mañana. Entonces estoy libre para salir con mis amigos por la tarde. Nos gusta el deporte y la música así que siempre tenemos algo que hacer.

Elena

El domingo voy a ___1___ temprano para ir al gimnasio a practicar con el equipo de voleibol. Después voy a regresar a casa a ___2___ y ___3___ el pelo. A la una en punto ___4___ almorzar en casa de mis abuelos y más tarde a eso de las cuatro voy a ___5___ con un grupo de mi colegio. ___6___ estudiar juntos sobre una encuesta que tenemos que preparar para geografía.

a Di si las frases son verdaderas o falsas.
1 Pilar se levanta tarde los sábados.
2 Ayuda en casa por la mañana.
3 Sale con sus abuelos por la tarde.
4 Se aburre con sus amigos.

 c Escucha y escoge la frase adecuada.

levantarme	reunirme	voy a
ducharme	vamos a	lavarme

Guillermo

Este sábado es mi cumpleaños. Voy a festejarlo con un grupo de amigos. Primero voy a cenar con mi familia. Mis hermanas dicen que van a darme una sorpresa. Creo que van a regalarme un reloj o tal vez un compact. Siempre salgo con el mismo grupo de compañeros de clase y siempre nos divertimos mucho. Esta vez vamos a salir a una nueva disco que van a inaugurar esta misma noche.

b Escribe la respuesta adecuada.
1 ¿Es el cumpleaños o el santo de Guillermo el sábado?
2 ¿Va a cenar con sus amigos o con su familia?
3 ¿Va a recibir un regalo de sus hermanas o de sus tíos?
4 ¿Se divierte mucho o poco con sus amigos?

Alejandro

El domingo, rico, no hay clases entonces voy a quedarme en cama hasta tarde. Voy a levantarme y bañarme lentamente escuchando mi música favorita. Sé que mis padres van a ir a la iglesia: siempre van los domingos por la mañana. Vamos a comer en la calle con mis abuelos porque van a celebrar cincuenta y cinco años de casados. Por la tarde voy al cine con unos amigos o a pasearme por la Plaza de Bolívar.

d Rellena los huecos con una frase adecuada.
1 Alejandro va a _____ en cama hasta tarde el domingo.
2 Va a escuchar música mientras _____ y _____.
3 Va a _____ con sus abuelos.
4 Va a _____ por la Plaza de Bolívar.

comer	pasearse	quedarse
se levanta		se baña

4 Donde vivo yo

METAS ● casas ● barrios

1 Donde vivo yo

 a Escucha y lee. Elena habla de su apartamento en Madrid.

El apartamento nuestro es muy moderno. Está situado en el último piso en un edificio. Hay un balcón amplio que tiene una vista espectacular de la ciudad. Hay un garaje en el sótano.
Adentro tiene de todo; cocina moderna integral; dos cuartos de baño, sala y comedor separados, y tres habitaciones. Tenemos calefacción central. Hay un jardín comunal pero es pequeño y no se permite jugar en el césped.

b Escucha a Alejandro y rellena los huecos.

Vivimos en una __1__ bonita. Es __2__, estilo colonial. Pertenece a mis bisabuelos. Hay __3__ de madera con flores y tiene __4__ delante y detrás. El __5__ es de tejas rojas. Tenemos un __6__ grande al lado. En las __7__ hay rejas de hierro por seguridad. Tiene dos __8__. Es __9__ en ladrillo. Está situada en las afueras de la __10__. Me gusta porque es tranquila.

balcones   pisos   casa   ciudad   antigua   techo
ventanas   construída   jardines   garaje

c Pon las frases en su orden correcto.
1 es mi moderna casa blanca y.
2 cerca la está ciudad de centro del.
3 pequeña una tiene terraza detrás.
4 comedor tiene sala integral.
5 vacaciones parece de casa.

2 Se alquilan

Apto mod con 3 dorm.
1 baño. w.c. sep. cocina integ.
sala/comedor. balcón grande.
ascensor. lavadero.

Casa adosada. 4 dorm +
servicio. 2 baños. cal cent.
comedor. salón. jardín tras/del.
200m de largo. cocina grande.
garaje. sótano.

Casa de campo moderno
con chimenea y cal electr.
sala grande. comedor.
cocina. 5 dormitorios.
piscina. jardín grande.

¿Qué opinas? ¿Cuál de las tres casas prefieres?
Explica por qué.
Ejemplo: Prefiero … porque me parece …

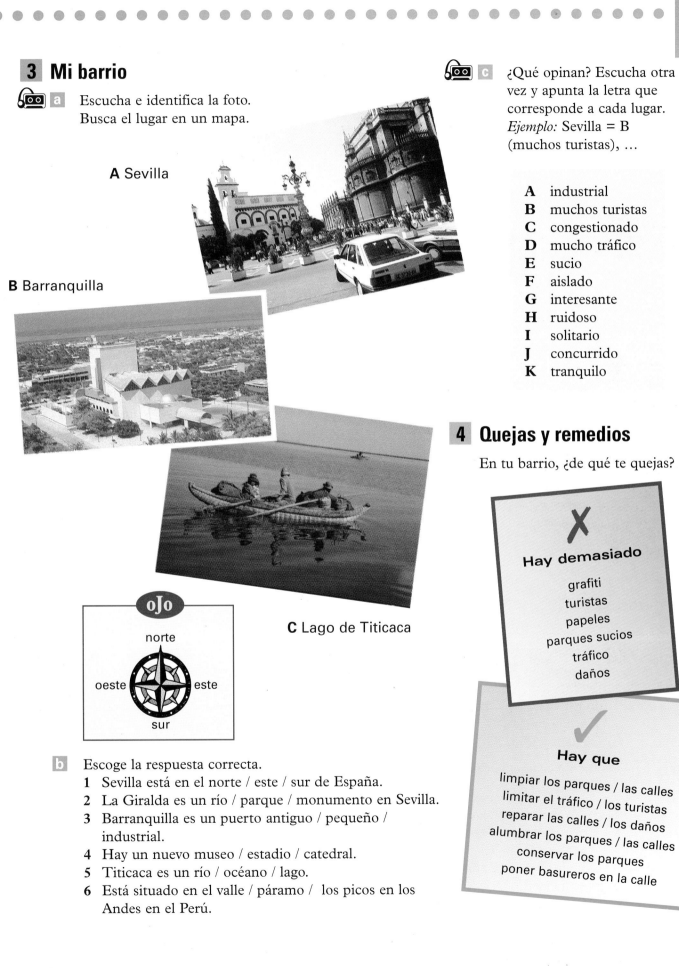

3 Mi barrio

a Escucha e identifica la foto.
Busca el lugar en un mapa.

A Sevilla

B Barranquilla

C Lago de Titicaca

oJo

norte
oeste · este
sur

b Escoge la respuesta correcta.
1 Sevilla está en el norte / este / sur de España.
2 La Giralda es un río / parque / monumento en Sevilla.
3 Barranquilla es un puerto antiguo / pequeño / industrial.
4 Hay un nuevo museo / estadio / catedral.
5 Titicaca es un río / océano / lago.
6 Está situado en el valle / páramo / los picos en los Andes en el Perú.

c ¿Qué opinan? Escucha otra vez y apunta la letra que corresponde a cada lugar.
Ejemplo: Sevilla = B (muchos turistas), …

A	industrial
B	muchos turistas
C	congestionado
D	mucho tráfico
E	sucio
F	aislado
G	interesante
H	ruidoso
I	solitario
J	concurrido
K	tranquilo

4 Quejas y remedios

En tu barrio, ¿de qué te quejas?

✗ Hay demasiado
grafiti
turistas
papeles
parques sucios
tráfico
daños

✓ Hay que
limpiar los parques / las calles
limitar el tráfico / los turistas
reparar las calles / los daños
alumbrar los parques / las calles
conservar los parques
poner basureros en la calle

5 Plano de Sitges

a Pregunta a tu compañero/a: ¿Adónde vas si quieres …?

A	aparcar el coche	**F**	mirar los barcos
B	poner una carta	**G**	comprar fruta y verdura
C	dar un paseo	**H**	buscar información
D	ver cosas antiguas	**I**	jugar al fútbol
E	visitar al médico	**J**	coger un tren

▼ Contesta con el número o nombre.
▲ Contesta con una frase entera.

① el correo		⑥ el puerto	
② el museo		⑦ el parque	
③ la oficina de turismo		⑧ el mercado	
④ la estación		⑨ el estadio	
⑤ el hospital		⑩ el aparcamiento	

oJo

voy a + el = voy al

b Mira el mapa y escucha.

– ¿Por dónde se va a Correos?
– Bueno, de aquí en la estación hay que coger la avenida Arturo Carbonell.
  Coge la tercera calle a la izquierda, después la primera a la derecha. Sube hasta la Plaza de España y allí está enfrente del parking.
– Muchas gracias.
– De nada. Adiós.

c Da las direcciones necesarias a tu compañero/a.

1 Estoy en el museo y quiero ir a Correos.
2 Tengo que ir del estadio al aparcamiento.
3 Quiero ir rápido del parque a la estación.
4 Necesito ir a la oficina de turismo y estoy en el mercado.

d ¿Dónde estoy? Búscame.

1 Estoy enfrente de Correos al lado de la Plaza de España.
2 Estoy en la esquina de la avenida Arturo Carbonell con el paseo de Villafranca.
3 Estoy entre la calle Parellades y la calle Jesús.

Trabaja con tu compañero/a. Haz otros ejemplos.

¿Te ayudo?

Sigue todo recto
Coge la primera / segunda calle
a la izquierda / a la derecha
sube / baja
cruza / ve

6 ¿Qué se puede hacer en Sitges?

 a Escucha a los jóvenes. Apunta el número y escribe el nombre de la actividad.
Ejemplo: 1 = el surf, …

 b Escucha otra vez.
▼ Añade el nombre.
▲ Escribe una frase para cada persona.
Ejemplo: A Luís le gusta hacer surf.

el monopatín

la disco   la biblioteca   el fútbol

la equitación

el voleibol

el polideportivo   la pesca

el cine

la bolera   el surf

7 Encuesta. ¿Qué es lo que más se hace en tu barrio?

a Haz una lista de las facilidades en tu barrio. Usa un diccionario.

b Pregunta a tus compañeros/as si las usan o no y si les gustan o no.

¿Te ayudo?

¿Tú vas a la piscina?
¿Te gusta(n)? ¿No te gusta(n)?
¿Mucho? ¿No mucho?

8 Mi lugar preferido

Completa las frases siguientes. Busca una palabra adecuada. Se puede usar una palabra más de una vez.

1 Si me siento perezoso/a
2 Cuando estoy enérgico/a
3 Si me siento aburrido/a
4 Si me siento tranquilo/a
5 Si me siento enfermo/a
6 Si me siento sociable

voy	a	playa museo bellas artes iglesia
	al	banco zoológico
	a la	asilo
	a los	polideportivo
	a las	biblioteca hospital

9 A ti te toca

Inventa un diálogo sobre tu barrio.

Preguntas claves

Donde tú vives, ¿es una ciudad / un pueblo / una aldea / un puerto?

¿Qué tipo de barrio es?

Mi barrio es interesante / industrial / histórico / moderno / turístico / tranquilo / aislado.

¿Dónde está situado?

Está situado en la costa / en las montañas / en un valle / en pleno campo / cerca de … / sobre el río …

¿Qué hay allí?

Hay una iglesia / un castillo / un parque / monumentos.

¿Qué más puedes decir?

Hay… habitantes y …

Extra 1A ●

Mi diccionario (1)

1 ¿Qué contiene?

a Mira la introducción.
¿Cuántas secciones hay?
¿Hay una sección especial para
los verbos y la gramática?
¿Hay una lista de abreviaturas?
¿Qué más hay?

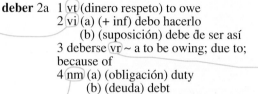

verbo transitivo
verbo intransitivo

deber 2a   1 vt (dinero respeto) to owe
2 vi (a) (+ inf) debo hacerlo
(b) (suposición) debe de ser así
3 deberse vr ~ a to be owing; due to;
because of
4 nm (a) (obligación) duty
(b) (deuda) debt
(c) ~es (escol) homework

verbo reflexivo
nombre masculino   *nombre plural*

b Busca estos ejemplos. ¿Qué significan?
Anota tus ejemplos.

   n   nm   nf   n m/f   v   vt   vi   vr   adj   pron   conj

c El abecedario inglés contiene **26** letras.
¡El español contiene **29**! ¿Cuáles son las tres extras?
Búscalas en tu diccionario si no las sabes todavía.

2 ¿Cómo se pronuncia?

a Las vocales se pronuncian así:

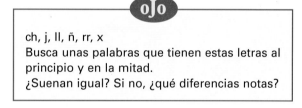

	a	e	i	o	u
🇪🇸	**a**sno	tr**e**s	v**i**vo	p**o**co	l**u**na
🇬🇧	c**a**t	h**e**n	b**i**t	p**o**t	r**u**ler

Practica las cinco vocales.

oJo

ch, j, ll, ñ, rr, x
Busca unas palabras que tienen estas letras al
principio y en la mitad.
¿Suenan igual? Si no, ¿qué diferencias notas?

b Las consonantes se pronuncian así:

DURO	SUAVE
b **bu**rro	**v** **va**ca
c **ca**ballo	**c** **ce**bra
c **co**nejo	**c** **ci**sne
c **cu**lebra	
g **ga**to	**g** **ge**melo
g **go**rila	**g** **gi**gante
g **gu**sano	

La **c** y la **g**, ¿qué tienen en común?
¿Puedes formular una regla?

Trabalenguas
Tres tristes tigres comen trigo en el trigal.

· MAÑAS · MAÑAS · MAÑAS · MAÑAS · MAÑAS ·

1 Escucha

- Vacía tu cabeza de distracciones.
- Cierra tus ojos. / Mira tu libro. / Mira la hoja de examen.
- Concéntrate.
- Identifica el contexto:
  de compras – en el garaje – en el aeropuerto.
- Identifica las palabras claves:
  tiendas – coche – avión.
- Identifica las fotos o los símbolos.
- Identifica la emoción:
  alegría – rabia – aburrimiento.
- Fíjate en las preguntas. ¿Qué detalles piden?

detalles = 4 años

2 Lee ✓

- Piensa en el contexto o la situación.
- Lee cada pasaje / carta TRES veces.

¿Que pasó? ¿Adónde fueron?

El coche tuvo una avería grave y *fuimos al garaje.*

avería = ?
tuvo = ?
fuimos = ?

Primera vez identifica las palabras que ya conoces. Después lee las preguntas.

Segunda vez concéntrate en la frase entera buscando el sentido total. Identifica la sección que corresponde a cada pregunta.

Tercera vez rebusca las palabras que todavía no reconoces sólamente si son necesarias para contestar la pregunta.

3 Habla ?

Esenciales
¡Repita por favor!
¿Cómo se dice *cat* en español?
¿Qué quiere decir *gato* en inglés?
¿Cómo se escribe?
¡Deletréalo por favor!

g - a - t - o

- Lee en voz alta. No te asustes acostúmbrate a oír tu voz.
- Habla delante de un espejo.
- Graba una canción o propaganda fácil que te gusta y cántala.
- Practica las preguntas claves.
- Sólo usa tu diccionario en la preparación.

▶ Oriéntate 1A ●

1 Datos personales

Soy / eres / es	español(a) colombiano/a canario/a mallorquín/ina inglés/esa escocés/esa
	irlandés/esa galés/esa
	hijo/a único/a grande pequeño/a mediano/a gordo/a delgado/a flaco/a
muy / poco	fuerte en historia / música / lenguas / ciencias / geo / matemáticas
bastante	sociable trabajador(a) inteligente juicioso/a travieso/a

Tengo / tienes / tiene	el pelo largo / corto / rizado / liso / negro / castaño / al rape
	los ojos grandes / pequeños / azules / verdes / negros / marrones
	las orejas… la nariz chata / respingada
	un(a) hermano/a mayor / menor un perro un gato

Mido / mides / mide	1 metro 50cm (1,50m)
Vivo / vives / vive	en un apartamento / un piso / una casa / una finca / un edificio
Me / te / le gusta / gustaría	el deporte el cine el baile el ajedrez
	trabajar ser ir comprar jugar hacer
Me / te / le gustan / gustarían	los deportes los chocolates

Mi cumpleaños es … / Mi dirección es … / Mi número de teléfono es …
En mi familia hay … / Mi familia consiste de …

2 ¡Un, dos, tres, seis!

Los verbos que se cambian cuando el acento cae sobre la **o** o la **e**.

		1	2	3			6
o → **ue**	jugar:	j**ue**go	j**ue**gas	j**ue**ga	jugamos	jugáis	j**ue**gan
	poder:	p**ue**do	p**ue**des	p**ue**de	podemos	podéis	p**ue**den
	dormir:	d**ue**rmo	d**ue**rmes	d**ue**rme	dormimos	dormís	d**ue**rmen
e → **ie**	empezar:	emp**ie**zo	emp**ie**zas	emp**ie**za	empezamos	empezáis	emp**ie**zan
	querer:	qu**ie**ro	qu**ie**res	qu**ie**re	queremos	queréis	qu**ie**ren
	preferir:	pref**ie**ro	pref**ie**res	pref**ie**re	preferimos	preferís	pref**ie**ren
e → **i**	servir:	s**i**rvo	s**i**rves	s**i**rve	servimos	servís	s**i**rven
	despedir:	desp**i**do	desp**i**des	desp**i**de	despedimos	despedís	desp**i**den

3 Hay que usar el infinitivo

● para decir lo que vas a hacer en el futuro inmediato:

Voy (vas, va, etc.) + ✦ + verbo en el infinitivo. *Ejemplo*: Esta tarde voy a jugar al tenis.

● con ciertos verbos, por ejemplo:

tengo tienes tiene tenemos tenéis tienen que
puedo puedes puede podemos podéis pueden   ✦
me te le nos os les   gusta / gustaría
                        gustan / gustarían
quiero quieres quiere queremos queréis quieren

estudi**ar** le**er** dorm**ir**
bañ**ar**me/te/se/nos/os/se
pon**er**me/te/se/nos/os/se
irme/te/se/nos/os/se

Taller 1A

1 Datos personales

a Escucha. ¿Quién es?

b Describe las otras personas.

c Escribe una descripción de dos compañeros/as.

d Prepara una entrevista.
¿Cómo te llamas? Me llamo …

e ¿Qué les gusta hacer? Escribe seis frases.
Ejemplo: Me gusta el ciclismo y tengo una bici.

me gusta   tengo   juego   hago   voy a

2 ¡Un, dos, tres, seis!

a Escribe la forma correcta del verbo.
1 Mi hermano mayor (jugar) al fútbol para el equipo del colegio.
2 Yo (preferir) jugar al tenis.
3 ¿Tú qué (querer) hacer esta tarde?
4 No sé. (Poder) ir al cine o a la piscina.
5 ¿A qué hora (empezar) la película?
6 (Poder) irnos a tomar algo después.
7 No creo, (dormirse) si es tan tarde.
8 Entonces los dos amigos (despedirse).

b ¿Cómo se cambian?

pensar   perder   volver   reírse

c Empareja las partes del verbo con la persona.
Inventa otros ejemplos. Cambia tu papel con tu compañero/a.

Verbos revueltos

j _ gáis
j _ _ ga
j _ _ go
j _ gamos
j _ _ gan
j _ _ gas

ue
u
ue
ue
ue
u

3 Verbos que llevan el infinitivo

Copia y rellena el hueco con un infinitivo adecuado.

Mañana voy a —— temprano porque tengo que —— con mis amigos. Vamos a —— a las nueve en la plaza Mayor. Primero nos gustaría —— al fútbol y después queremos —— en la piscina. Por la tarde podemos —— al cine si hay una buena película.

ir   jugar   salir
reunirnos   levantarme
bañarnos

5 Mi bienestar

1 ¡Un, dos, tres! Relajamiento activo

Lee las instrucciones. ¿Qué dibujo se describe?

1 De puntillas levanta los brazos y estira el cuerpo.
2 Con las piernas rectas toca el suelo con las palmas.
3 Toca el ombligo con la nariz.
4 Toca el hombro derecho con la oreja derecha.
5 Pasa los brazos por entre las piernas y agarra la pantorilla.

2 ¡A tus anchas! Relajamiento pasivo

Escucha las instrucciones.
Escribe las partes del cuerpo.

oJo

tú	vosotros
levanta	levantad
levántate	levantaos

3 ¿Qué tienes? ¿Qué te pasa?

a Escucha. ¿Quién es?
Ejemplo: 1 = Pilar

Sra de Loyola   Hector Rodríguez   Pilar Pontevedra   Marta de Redondo   Manuelito García   Toni Vergara

¿Te ayudo?

Me / Le duele(n)	la garganta / la cabeza / los dientes / el oído
Tengo / Tiene	una insolación / gripe frío / calor fiebre dolor de estómago / espalda tos / hipo
Estoy / Está	deprimido/a / mareado/a

b ¿Qué tiene? Identifica su mal.
▼ Di lo que tiene.
▲ Escribe lo que tiene.
Ejemplo: Pilar tiene dolor de garganta.

c Juega a '¿Quién soy yo?'
Ejemplo:
A Me siento … y tengo …
B Eres …

4 Mantenerse en plena forma

a Lee los consejos. Hay unas acciones buenas y unas malas. ¿Cuáles son?

- Es importante dormir bien.
- Es mejor levantarse y acostarse temprano.
- Si es posible trata de organizar tu día. No dejes todo para el último momento.
- Es muy necesario comer tres veces al día. No hay que picar entre comidas.
- Debes hacer ejercicio dos o tres veces por semana.
- El ser perezoso y flojear en la cama todo el día no es bueno – ¡claro va sin decir!
- ¡Sobre todo no debes fumar ni beber alcohol en exceso! Ni el uno ni el otro es bueno para la salud.

b Compara tu lista con la de tu compañero/a.

5 Ejercicio vital

 Escucha. Copia y rellena las casillas.

Ejemplo:

¿Qué hago?	¿Dónde?	¿Cada cuánto?
correr	por la calle	cada mañana

¿Te ayudo?

cada día
dos veces a la semana
una vez al día

6 Querida Tía Toña

a Lee las cartas.

No sé lo que me pasa pero me siento deprimida. Tengo demasiado trabajo y tengo pánico a los exámenes. No tengo muchos amigos en el colegio y a veces creo que se burlan de mí. ¿Cómo hago?
Pili

Soy bajito y me siento acomplejado con mis hermanos. Mis padres no comprenden. ¿Qué debo hacer?
Rodrigo Pablo

Yo sí que soy perezoso ya lo sé. Detesto recoger mi cuarto y como consecuencia siempre pierdo mis cosas. ¿Cómo puedo remediar mi problema?
Angustias

Mira, no sé lo que me pasa pero tengo tantas fobias que no sé qué. Tengo miedo de las arañas y de las culebras. ¿Me parece normal, no? Pero también tengo miedo de la oscuridad. Ayúdame.
Tito

b ▼ ¿Qué aconsejas?
▲ Escribe una carta breve para responder a las preocupaciones.

¿Te ayudo?

Invita a tus compañeros/as a una fiesta.
Visita el jardín zoológico.
Habla con tu profesor.
Pon las cosas en su sitio.
Escribe una agenda.
No hagas caso de lo que dicen.

7 Diversión pasiva

a Mira los resultados de una encuesta de unos jóvenes en Sitges.

¿Cómo pasas tú tu tiempo?

Paso horas viendo la tele.

Paso dos horas mínimo jugando con mi ordenador.

¡Puedo hacer dos cosas al mismo tiempo! Paso la noche leyendo y escuchando música.

Prefiero pasar mi tiempo mirando vídeos que charlando por teléfono.

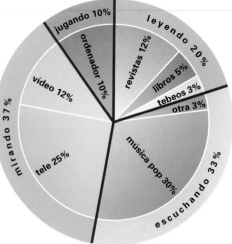

jugando 10%
ordenador 10%
leyendo 20%
revistas 12%
libros 5%
vídeo 12%
tebeos 3%
otra 3%
mirando 37%
tele 25%
música pop 30%
escuchando 33%

b Pregunta a tu compañero si las frases son correctas o no.
1 Pasan más tiempo escuchando música pop que jugando con el ordenador.
2 Miran más vídeos que televisión.
3 Leen menos revistas que libros.
4 Pasan menos tiempo leyendo tebeos que escuchando otra clase de música.

c Pregúntale:
1 ¿Cuánto tiempo se pasa mirando la tele / … ?
2 ¿Qué prefieren leer / …?
3 ¿Qué se hace más / menos de todas las actividades?

8 ¿Qué miras para divertirte?

Escucha. Copia y rellena las casillas.
Ejemplo:

Número	Película/Programa	Tipo	¿Por qué?
1	Twister	aventura	emocionante

★★★★★★★★★ **VIDEO CLUB** ★★★★★★★★★★
Pinocho, la leyenda • dibujo animado   **Misión imposible** • aventura
Crash • mayor de 18   **Robocop** • ciencia ficción
Evita • ópera rock   **Pesadilla** • horror/miedo
Shine • historia romántica   **Los siete magníficos** • oeste
Un padre en apuros • comedia   **Harry el sucio** • policíaca

9 Sondeo: ¿Qué diversión les gusta más?

a Pregunta a tus compañeros/as de clase cómo pasan su tiempo.

b Prepara un gráfico como el ejemplo arriba o como a ti te parezca mejor para ilustrar las respuestas.

Preguntas claves

¿Qué programas te hacen reír?
¿Qué películas te parecen divertidas / graciosas?
¿Cuántas horas pasas mirando la tele / películas / vídeos cada semana?

¿Te ayudo?

	estupendo
	regular
	emocionante
Es	buenísimo
	gracioso
	rebueno
	divertido

10 Una cartita

Escribe una respuesta a la carta.

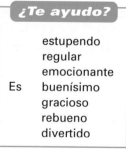

¿Y tú, qué haces para divertirte? Contéstame en tu próxima carta.

11 Diversión activa

¿CÓMO VA TU EQUILIBRIO?
Aprende a hacer
monociclismo
malabarismo
trapecio
mayor de 12 años
lunes miércoles
viernes 9 h–11 h
únicamente
(No más de 5 por grupo)

Centro Social de Familias
semana de descanso para los padres

Diversiones Mamaloca – Mil locuras para toda la familia
Madres trabajadoras sus hijos pueden divertirse todo el
día seguros y felices. Jóvenes – venid a ayudar o
a participar. Hay algo para todo el mundo.
Es GRATIS.

¿Eres buen organizador?
Ayuda a preparar una caza del
tesoro por la ciudad vieja
para los niños 6 -10 años.
Cita a las 16 h jueves

¿Tienes talento artístico?
Origami / cartón piedra / máscaras /
gigantes y cabezudos
Jardín japonés
Maquillaje
Cerámica / joyería
Fotografía
Horas flexibles en el Centro Cívico

DEPORTISTAS
COMPETENCIAS Y CONCURSOS PARA TODOS
CATEGORÍAS MENOS DE 10 AÑOS,
10 A 14 Y 14 A 18 AÑOS

MONOPATÍN 18 h-20 h - paseo marítimo
(concurso individual)
VELA 9 h en adelante -
playa de las américas
BODYBOARDING 14 h-16 h playa
VOLEIPLAYA 11 h-13 h (equipo)
AERÓBICA 10 h-12 h (grupo) Gimnasio Oasis
TAEKWONDO NIÑOS 9 h-10 h (grupo) Gimnasio Oasis
ESCALADA 12-16 años Curso de iniciación
FÚTBOL SALA - viernes todo el día - equipos
DANZA JAZZ - jueves tarde 16 h-18 h (dos grupos)

a Contesta a las preguntas.
1 ¿Dónde se puede hacer monopatín?
2 ¿A qué hora se hace voleiplaya?
3 ¿Hay que estar en un grupo para hacer aerobic?
4 ¿Cuándo se puede hacer monociclismo?
5 ¿Dónde se va a hacer origami?
6 ¿A qué hora es la cita para preparar la caza del tesoro?

b Escucha. ¿Qué quieren?
Ejemplo:

Nombre	Edad	Tipo de actividad	Detalles extras
Antonio	12	artístico	tiene que sentarse

c Sugiere una actividad para cada persona.
▲ Indica por qué la has escogido.
Ejemplo: He escogido fotografía para
Antonio porque tiene que sentarse.

LA RISA
Ingrediente necesario en la vida
Reír a carcajadas es la mejor medicina
¡sin bromear!

Las investigaciones comprueban que el reír da
oxígeno a la sangre, estimula la circulación,
reduce las palpitaciones del corazón y la presión y
suelta endorfinas (las sustancias químicas naturales
del cuerpo que nos hacen sentir bien). Resulta que se
siente mejor y más positivo hacia la vida. Entonces –
mira algo divertido, lee algo que te hace reír, ríete
todo lo que puedas – es un buen consejo.

1 ▶ 6 Epocas y ocasiones ● ● ● ● ● ● ● ● ● ● ● ● ● ● ●

1 Temporadas y estaciones

🔈 Lee y escucha. ¿Cuál de las fotos se describe?

▶ En Europa hay cuatro estaciones al año.

A En la primavera todo parece verde de nuevo. Es la época de esperanza: todo comienza a crecer y florecerse después de los días tan largos y oscuros del invierno.

B En otoño hay cantidades de colores distintos en los árboles. Los días empiezan a ponerse más cortos y por la mañana hay una neblina ligera en las colinas.

▶ En los trópicos hay dos temporadas al año.

C En la temporada seca hace un calor infernal y no llueve. El agua se acaba y todo empieza a marchitarse y morirse.

D En la temporada de lluvias las calles se inundan y hay peligro de tormentas, huracanes y torbellinos.

2 Primeras navidades en Europa

a Lee la carta de Alejandro.

Querida Beatri
No te imaginas la alegría mía al ver esta cosa llamada nieve por primera vez. Me he divertido cantidades. Aquí celebran la fiesta de Navidad igual que nosotros en Bogotá con arbolitos de Navidad y belenes. Todos hemos ido a la misa del Gallo a la medianoche en la Nochebuena. Habíamos cenado antes – ¡menos mal! El turrón me ha gustado mucho – delicioso. En la Nochevieja hemos comido las doce uvas de la suerte con las campanas a la medianoche. Hacen fiestas para los niños el seis de enero cuando los Reyes Magos les traen regalos. Abrazos y besos de Alejo

b Lee las frases. Sólo hay dos correctas. ¿Cuáles son? Corrige las incorrectas.
1 Alejandro ha pasado las Navidades en Europa antes.
2 A Alejandro no le han gustado sus vacaciones.
3 Le ha gustado mucho el turrón.
4 Cuando sonó la medianoche ha comido uvas.
5 Los Reyes Magos traen uvas para los niños.

oJo

haber = he has ha hemos habéis han
habl**ar** – habl**ado**
pod**er** – pod**ido**
divert**ir** – divert**ido**

3 Carnaval en Barranquilla

a Lee.

El Garabato

La cumbia

La mejor época del año para mí es cuando empiezan las fiestas de Carnaval. En febrero comienzan los preparativos. Hay unas procesiones fantásticas y todo el mundo se pone disfraces de diablos o reinas, o el traje típico de su región y sale a la calle a bailar. Todos nos divertimos enormemente.

Niño disfrazado

Máscaras y diablos

b Escucha a la gente hablando de otras fiestas y festivales que se celebran. Copia y rellena las casillas.
Ejemplo:

Fiesta ▼	Dónde ▼	Epoca ▼	Fechas ▲	Detalles ▲
Semana Santa	Sevilla	Pascua	no exactas	Pasos / penitentes / virgen / saetas

4 A ti te toca

a Piensa en un festival o una fiesta en tu región, tu país o que te interesa.
▼ Prepara un artículo corto usando los títulos abajo para ayudarte.

Epoca
Fecha
Dónde se celebra
Qué se celebra

Cómo se celebra
Detalles
Opinión

▲ Escribe no menos de 100 palabras sobre una fiesta típica de tu país.

b Haz una presentación oral a tu clase.

¿Te ayudo?

se celebra
lo más interesante es …
nos divertimos mucho
me parece que …

Preguntas claves

¿Qué época del año prefieres / te gusta más?
¿Por qué te gusta?
¿Qué haces / sueles hacer?

5 Mi primera comunión

a Lee la tarjeta de Marta Luz.

¡Hola!

Guatemala el 13 de diciembre

Aquí tenéis una foto de mi primera comunión. ¿Verdad que estoy linda? Toda la familia estaba presente. Mi abuela Candelaria me ha dado una cadena de oro muy bonita. Todos hemos llevado unos lirios blancos y una vela grande. Mi traje blanco era de mi hermana mayor Julia. La ceremonia ha durado media hora y después hemos ido a almorzar a casa de mis tíos Pedro y Lucía. Ha sido un día inolvidable para mí. Gracias por el regalo y vuestra tarjeta. Me gustó muchísimo.
un abrazo fuerte
tu amiga guatemalteca
Taluz

b Indica si la frase es verdad (✓) o falsa (✗).
1 La tarjeta viene de Méjico.
2 Es una foto de un bautizo.
3 La niña se llama Linda.
4 Recibió un regalo de su abuela.
5 Pasaron media hora en la iglesia.
6 Comieron en casa de sus tíos.

oJo

hacer – hecho	poner – puesto
ir – ido	ser – sido

6 La Piñata

En muchas partes de América Latina se celebran los cumpleaños con una piñata. ¡Cúanto más grande y más llena de dulces y sorpresas mejor! A los niños chiquitos les encanta – es la cumbre de la fiesta. Se les pone una venda por los ojos. Se les da un bastón. ¡Se les da unas cuantas vueltitas y listos! Tratan de romper la piñata dándole golpes con el bastón.

El mundo es un gran teatro y la vida se divide en siete actos.

La infancia va primero que llora y babea.

Luego es el niño llorón que va sin ganas a la escuela.

Luego el amante suspirando que escribe baladas a su amada.

7 Mi grado

a Lee el artículo.

b Indica los errores entre el artículo y la lista de datos abajo.

Nombre: HOYOS Emelina
Fecha del grado: 22 de julio
Grado: bachiller
Grados anteriores: master en Ciencias
Universidad: La Sorbona de Dallas
Profesión: estudiante
Trabajo futuro: canciller en la ONU
Lugar de grado: Nueva York

El pasado jueves 22 de junio se celebró el grado de una joven costeña en la ciudad lejana de Dallas en los Estados Unidos. Emelina Hoyos se destaca por su inteligencia y por su capacidad para el estudio. Es bachiller en Humanidades y Lenguas que estudió en Rochester N.Y. y en la prestigiosa Universidad de la Sorbona de París.

Posteriormente obtuvo el máster en Ciencias Iberoamericanas en Dallas EE.UU. Es con gran orgullo que se anuncia que la distinguida señorita Hoyos ha sido nombrada canciller de la Misión Permanente ante la ONU con sede en Nueva York. Será para ella una gran experiencia y una excelente oportunidad de servir al país.

8 El matrimonio

Los reyes de España al anunciar el compromiso de la infanta Cristina

9 A ti te toca

Graba una casete en español contando el día de tu cumpleaños o una fiesta personal.

Dicho
Y vivieron felices comiendo perdices

El soldado profiriendo juramentos.

El justicia panzudo repartiendo sentencias.

La sexta edad es el viejo enjuto con gafas sobre la nariz.

Y la escena final es la segunda infancia o el olvido ciego, sin dientes, sin paladar, sin nada.

7 Mi orientación profesional

METAS ● ambiciones ● opciones ● práctica laboral

1 ¿Qué hay que considerar?

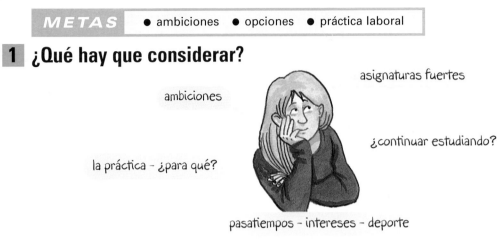

ambiciones

asignaturas fuertes

¿continuar estudiando?

la práctica – ¿para qué?

pasatiempos - intereses - deporte

a Di en qué orden vas a hacer cada cosa.

b Compara tu lista con la de tu compañero/a. Discute las diferencias.

2 ¿La práctica por qué?

a Haz unas frases. Di por qué la práctica es buena o mala idea.

¿Te ayudo?

En mi opinión	es importante	ganar confianza	no ir al colegio
Creo que	tendré que	aprender nuevas cosas	llegar a tiempo
Me parece que	será importante	tener una rutina fija	trabajar con gente
Espero	aprender a	tomar decisiones	tener responsabilidad
	enterarme de	tratar al público	resolver problemas
		cómo funciona una empresa	
	ganar experiencia en	trabajar en equipo	usar mi cabeza

b ¿Cuál te parece lo más importante?
¿Cuál te parece lo menos importante?

Escribe tus ideas en orden de importancia.
Compara tu lista con la de tu compañero/a.

3 Mis ambiciones

Escucha.
▼ ¿Qué les gustaría hacer o ser?
▲ ¿Por qué?
Ejemplo:
A María le gustaría ser periodista porque
le gusta escribir y le interesa la gente.

piloto   veterinaria   no sé   bailarina
mecánico   azafata   programador
representante   abogado

Santiago

María

Ignacio

Antonio

Carmen

Dicho
Nadie es sabio por lo que supo su padre

4 Anuncios

Canguro

¿ Tienes entre 14 y 18 años?
¿Te gustan los niños?
¿Estás libre desde las 16 h hasta las 19 h?

Favor enviar carta de solicitud y recomendaciones con foto al Apartado de Correos número 5689. Barcelona.

Autos 2000

Autos 2000 necesita ayudante/mecánico – tardes de 17h – 19h lunes a viernes y sábados todo el día. Experiencia preferible pero entusiasmo esencial.
Interesados llamar a 894 07 55 entre 14 – 16 h.

Ferretería Mi Llavero
se requiere joven para trabajar a tiempo parcial compatible con estudios. Sueldo a convenir. Si le interesa favor pasar por la tienda tardes después de las 15 h. Centro Comercial Los Bosques.

OASIS

Floristería OASIS ofrece empleo para joven artístico o con entusiasmo para la naturaleza. Necesitamos ayuda en el mercado los sábados por la mañana. Venga a vernos temprano los días de mercado.

¿Necesitas ganar experiencia en turismo?
Agencia de viajes Iberia requiere joven con conocimientos básicos de inglés y francés para recepción. Se ofrecen buenas condiciones laborales y sociales. Período de verano únicamente. Candidatos favor de enviar carta de solicitud escrita a mano con curriculum vitae al Apartado de Correos 2307. Barcelona.

a ▼ ¿Sí o no?

1 ¿Si tienes trece años puedes solicitar el puesto de canguro?
2 ¿Tienes que enviar una foto si quieres el puesto de canguro?
3 ¿Se puede trabajar los domingos como mecánico?
4 ¿Se puede llamar por teléfono para pedir el puesto de mecánico?
5 ¿Es posible seguir estudiando si trabajas en la ferretería?
6 En la floristería, ¿hay que trabajar todos los días de mercado?
7 ¿Si no hablas inglés vale la pena solicitar el puesto en turismo?
8 ¿Tienes que haber trabajado antes en una agencia de viajes?

b ▲ ¿Para qué empleo(s) …

1 hay que tener recomendaciones?
2 se puede hablar del sueldo?
3 es preferible tener experiencia?
4 es mejor querer a los niños?
5 se necesita conocimiento de idiomas?
6 hay que demostrar entusiasmo?
7 hay que escribir la carta de solicitud a mano?
8 se puede trabajar a tiempo parcial?

c ¿Hay algún empleo anunciado aquí que te gustaría a ti o que le convendría a los amigos de la página anterior?
Escoge y di por qué te gustaría o le convendría.
¿Hay alguno que no sería adecuado?
¿Por qué no?

5 La carta de solicitud

a Contesta a las preguntas con una frase entera.

1 ¿A qué anuncio ha contestado Guillermo?

2 El puesto requiere ciertas cosas.
   ¿Es conveniente este empleo para Guillermo?

3 ¿Tiene suficiente experiencia en tu opinión?

4 ¿Qué ventajas hay para Guillermo si
   consigue el puesto?

5 ¿Durante cuánto tiempo va a trabajar?

b Prepara y escribe una carta de solicitud
para un puesto que te gustaría hacer. Escoge
uno de los anuncios de la página anterior.

Santa Cruz de Tenerife
20 de julio

Viajes Iberia
Apartado de Correos 2307
Barcelona
España

Estimado Señor:

Por medio de la presente solicito el puesto en Viajes Orbimundo. Me
llamo Guillermo Sánchez Muñoz. Tengo 17 años y soy canario de la
isla de Tenerife. Hablo bien el inglés y un poco de francés. Soy soltero.

Estoy haciendo la formación profesional básica en turismo. También
he estudiado informática. He trabajado los sábados y durante las
vacaciones en una agencia local aquí en Tenerife. Tenía que
contestar el teléfono y rebuscar información para los clientes en el
ordenador.

Ahora me gustaría tener mayor experiencia en una oficina más
grande. Además quisiera trabajar afuera de la isla para ganar más
experiencia de la vida.

Adjunto envío mi curriculum vitae y le ruego que considere mi
solicitud.

A la espera de sus noticias le saluda atentamente.

Guillermo Sánchez

Guillermo Sánchez M.

Calle Profesor Peraza 13
38001 Santa Cruz de Tenerife
Canarias

6 La respuesta

Gracias por su carta que recibimos ayer. Estamos
convocando entrevistas para el día 29 de julio
y nos gustaría verle el mismo día por la mañana.
Haga el favor de llamarnos cuanto antes para
convenir la hora como usted tiene que viajar desde
lejos. Prepare una lista de preguntas por si acaso …

a Aquí tienes una lista de
preguntas. ¿Cuáles pregunta
Guillermo y cuáles pregunta
el jefe?

Guillermo	El jefe

¿Has solicitado otros empleos?

¿Por qué quieres trabajar aquí?

¿Qué haces en tus horas libres?

¿A qué hora se comienza
por la mañana?

¿Cuáles son las cualidades
más importantes para este
empleo?

¿Qué responsabilidades tendré?

¿Has hecho algún trabajo voluntario?

¿Será necesario llevar uniforme?

 b Trabaja con tu
compañero/a. Llama
por teléfono al empleo
que has solicitado en
5b para convenir la
hora. Pregunta algunos
detalles más sobre el
puesto.

7 La entrevista

a Lee y escucha.

Buenos días Guillermo.

Mucho gusto en conocerle.

Siéntese por favor.

Buenos días señora.

Encantado.

Gracias.

b Busca la respuesta adecuada para cada pregunta.

1 ¿En qué sector voy a trabajar?
2 ¿Cuál será mi horario?
3 ¿Cuándo empiezo?
4 ¿Qué tendré que hacer primero?
5 ¿Recibiré un sueldo interesante?
6 ¿Qué cualidades son importantes para este empleo?

A Primero va a observar durante dos días para orientarse. Luego puede ayudar en la recepción.

B Cuando un joven hace la práctica laboral no solemos pagar sueldo. Incluso creo que está prohibido. Pero vamos a ver. Lo importante es demostrar cómo trabaja.

C Usted llegará a las nueve en punto. Aquí consideramos que es muy importante la puntualidad. Saldrá a las cinco si todo está bien hecho.

D En la recepción hay que estar pendiente del teléfono y de los clientes.

E Es muy importante saber tratar a la gente; ser amable y paciente.

F Le veremos dentro de quince días entonces. Espero que le gustará trabajar con nosotros.

8 La despedida

Practica este diálogo con tu compañero.

– ¿Quiere preguntar algo más?
– No creo gracias, no tengo más preguntas.
– Entonces, ¿quiere aceptar el puesto para la práctica laboral?
– Gracias. Me gustaría mucho trabajar aquí.
– Espero que estará contento. ¿Puede empezar dentro de quince días?
– Si señora. Le agradezco mucho.

No olvides...

Salgo de casa a...
Comprar tiquete semanal
Lavar el pelo / tomar ducha
Planchar camisa

8 Un vistazo hispanoamericano

1 Blasón

a Lee y escucha.

b ▼ Busca en tu diccionario las palabras y frases subrayadas.

c ▲ Busca las frases subrayadas que significan lo mismo.

1 un arpa antigua
2 que va y viene y se balancea
3 natural
4 unas ramas del árbol
5 quiero servirle o ser su sirvienta
6 de la raza inca

Inventa otras equivalentes para las seis palabras restantes.

Soy el cantor de América autóctono y salvaje:
mi lira tiene un alma, mi canto un ideal.
Mi verso no se mece colgado de un ramaje
con un vaivén pausado de hamaca tropical ...

Cuando me siento inca, le rindo vasallaje
al Sol, que me da el cetro de su poder real:
cuando me siento hispano y evoco el colonaje,
parecen mis estrofas trompetas de cristal.

Mi fantasía viene de un abolengo moro:
los Andes son de plata, pero el león, de oro:
y las dos castas fundo con épico fragor.

La sangre es española e incaico es el latido:
y de no ser poeta, quizás yo hubiera sido
un blanco aventurero o un indio emperador.

Santos Chocano 1875–1934 Peruano

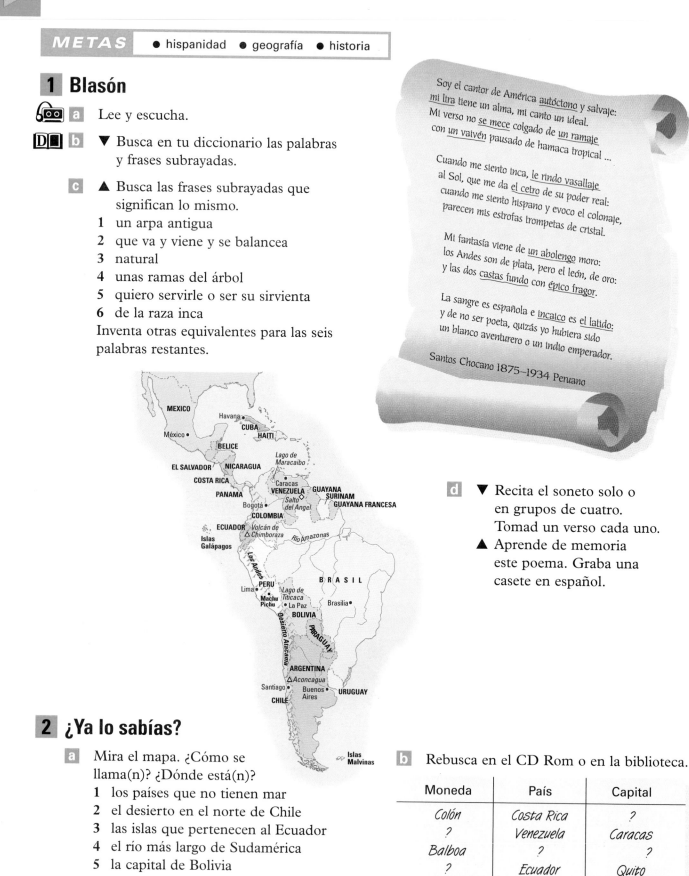

d ▼ Recita el soneto solo o en grupos de cuatro. Tomad un verso cada uno.
▲ Aprende de memoria este poema. Graba una casete en español.

2 ¿Ya lo sabías?

a Mira el mapa. ¿Cómo se llama(n)? ¿Dónde está(n)?

1 los países que no tienen mar
2 el desierto en el norte de Chile
3 las islas que pertenecen al Ecuador
4 el río más largo de Sudamérica
5 la capital de Bolivia

b Rebusca en el CD Rom o en la biblioteca.

Moneda	País	Capital
Colón	Costa Rica	?
?	Venezuela	Caracas
Balboa	?	?
?	Ecuador	Quito
Quetzal	?	?

3 Colón y sus viajes

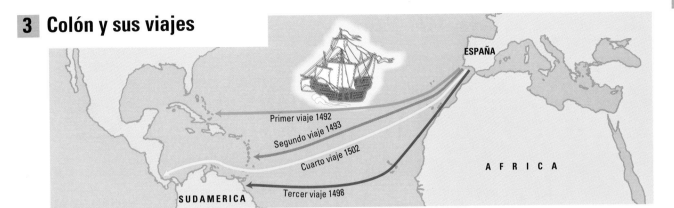

Primer viaje 1492
Segundo viaje 1493
Cuarto viaje 1502
Tercer viaje 1498
ESPAÑA
AFRICA
SUDAMERICA

4 Las Américas – continente de superlativos

a Haz unas frases con la información de abajo.
Ejemplo:
La Paz es la capital más alta del mundo.

El volcán de Chimborazo

El lago de Titicaca

Aconcagua

El salto de Angel

El Amazonas

La Paz

El lago de Maracaibo

la cascada
más alta
la ciudad
que el monte Blanco
el río
del mundo
más alto navegable

del Caribe
la montaña
más largo
de las Américas
más grande
el lago
que el Mississippi

b Haz más ejemplos.

5 Bartolomé de las Casas 1474–1566

¿Dónde nació usted?
Nací en Sevilla.

¿Cómo fue su juventud?
Tuve una juventud amena
y confortable.

¿Cuándo viajó a las
Américas con Colón?
Viajé con Colón en 1502.

¿Qué fue su reacción
al llegar al otro lado
del océano?
Tuve vergüenza y
me convertí en fraile
dominicano.

¿Por qué decidió luchar
por los indios?
Porque les trataron muy
mal.

Háblenos de su libro.
Traté de explicar que todos
somos humanos.

¿Por qué está triste todavía?
Porque nadie me hizo caso y
siguieron igual.

Y su vejez, ¿qué tal lo
está pasando?
Fui obispo en Chiapa en
Méjico antes de regresar
aquí a Sevilla.

Pon estas frases en orden para recontar la
historia de la vida de Bartolomé de las Casas.

1 Fue obispo en Chiapa.
2 Tuvo una juventud confortable.
3 Se sintió avergonzado del tratamiento de
   los indios.
4 Fue con Colón en su último viaje en 1502.

5 Se convirtió en fraile dominicano.
6 Nació en Sevilla.
7 Escribió un libro en defensa de los indios.
8 Se sintió responsable por haber usado a
   los negros en las minas.

6 Otros personajes históricos

🔊 **a** Escucha y rellena las casillas.

Nombre	▲ Fecha	▼ Siglo	▼ Dónde	▲ Detalles

b ¿Quién te interesa más?
  ▼ Preséntalo en forma de dibujo con bocadillos.
  ▲ Preséntalo en forma escrita.

Alfonso el Sabio

Cervantes
Don Quijote   El Cid   Santa Teresa
de Avila

7 El Dorado – la leyenda

a Lee y escucha.

ERASE UNA VEZ UN HOMBRE DORADO – EL DORADO

1 Antes de llegar los conquistadores cuando llegó el momento de elegir un nuevo gobernador en la tribu de los Muiscas, el hijo del difunto gobernador tuvo que pasar días en una cueva solitaria – sin comer ni sal ni chiles ni salir a la luz del día – a solas.

2 Entonces le cubrieron el cuerpo entero con una goma y le soplaron polvo de oro por todas partes hasta que se quedó completamente dorado.

3 Le pusieron en una balsa bella y adornada que llenaron de fruta y toda clase de joyas magníficas y artefactos de oro: esmeraldas, collares, pulseras y anillos preciosos.

4 Remaron hasta el centro del lago llamado Guatavita cerca de Bogotá en lo alto de los Andes colombianos.

5 Al sonar los clarines y las flautas tiraron todas las riquezas al lago en oferta a los dioses y fue proclamado el nuevo gobernador.

6 Es por eso que el hombre ha buscado el sueño iluso de El Dorado por siglos. Hicieron varios atentados para sacar todo el agua del lago cortando un dique en un lado pero el lago sigue guardando su secreto. ¡Nadie sabe donde está el tesoro!

b Busca el intruso.
1 conquistador difunto gobernador tribu
2 fruta sal chile cuerpo
3 cueva lago polvo dique
4 collares pulseras anillos balsa
5 clarines flautas dioses instrumentos

c En grupos prepara:

● **Una escena de teatro**
Personajes:
– el difunto gobernador
– el hombre dorado
– su sirvienta
– otros miembros de la tribu
– hombre(s) buscando el tesoro

● **Una entrevista periodística**
Personajes:
– periodista
– el hombre dorado
– su sirvienta

Dicho
*Oro es lo que
oro vale*

8 ¡Infórmate!

Rebusca en el CD Rom o en la biblioteca.

Altamira

Montezuma

Guernica

La Inquisición

La Armada

La guerra civil

1 Shakira – una nueva estrella

 a Escucha y anota los detalles siguientes.

▼	▲
Nombre	Apellido
Edad	Fecha de nacimiento
Cumpleaños	Signo
Ciudad	Lugar de nacimiento
Descripción física	Ojos, pelo
Características	Temperamento
	Otros detalles

b Escucha y escoge la respuesta correcta.
1 Shakira es venezolana / colombiana / mejicana.
2 Comenzó su carrera a los ocho / diez / doce años.
3 Shakira es bailarina / cantante / baterista.
4 Ha vendido más de mil / un millón / diez mil copias de sus discos.
5 Ya tiene cinco / cuatro / tres discos a su nombre.

c Decide si la frase es verdad (✓) o mentira (✗).
1 Shakira es cantante del pop latino.
2 No ha tenido mucho éxito con sus discos.
3 Ya lleva más de diez años cantando.
4 Actúa ahora en España.
5 Mañana se va a Tailandia.

d Escucha. ¿Qué opinan? Indica las opiniones con estos símbolos.
Le gusta(n)   ✓
No le importa   ?
No le gusta(n) ✗

 e Escucha. Shakira menciona cinco cuartos en su nuevo apartamento.
▼ ¿Cuáles son?
▲ Anota los detalles de los muebles.

2 Nuevo ídolo del pop latino

a Lee el artículo.

b Lee e identifica las frases correctas. Corrige las incorrectas.
1 Shakira canta en latino.
2 Es una niña inteligente.
3 Su nombre significa leonesa.
4 Escribe sus canciones.
5 Tiene 25 años.
6 Vive aún con sus padres.

c Contesta a las preguntas con una frase completa.
1 ¿De dónde es Shakira?
2 ¿Qué pasó con sus primeras composiciones?
3 ¿Cómo se llama su álbum exitoso?
4 ¿Según el artículo cómo es su carácter?
5 ¿Cómo describen la forma y la letra de sus canciones?

3 Entrevista con Shakira

Con tu compañero/a prepara una entrevista imaginaria con Shakira. Graba una casete en español dando tus datos personales. Habla de tu familia, tu casa, lo que te gusta hacer en tu tiempo libre, tu rutina diaria (cómo pasas el fin de semana), y lo que quieres hacer en el futuro. Incluye tantos detalles y opiniones como puedas.

SHAKIRA NUEVO ÍDOLO DEL POP LATINO

Shakira cuyo nombre significa 'diosa de la luz' es una mujercita llena de gracia que apenas cumplió los veinte años y tiene un gran futuro por delante. Culta, abierta, demuestra una calidez humana y espiritual y todavía es la hora en que es niña de su casa. Es decir que no se ha dejado comer por el cuento de la fama; al contrario ha sabido asimilar el éxito relumbrante que ha sido la suya. Atribuye todo a sus padres. De ascendencia libanesa su padre Esteban (William) Mebarak con su esposa Nidia Ripoll se apegan a su hija en sus giras por el mundo.

De colegiala le fascinaba la ciencia natural y todos pensaron que iba a ser investigadora científica. Al rato cambió y se dedicó a escribir día y noche poesías y cuentos. De hecho su primera canción titulada 'Las gafas oscuras' fue dedicada a su padre. Esto fue a los ocho años. A los 13 años se aventuró con unas grabaciones con la casa Sony con 'Magia' y luego a los 15 con 'Peligro'. En 1992 quedó de tercera en el concurso Viña del Mar. De allí se despegó pero no todo ha sido fácil. Su dedicación y resolución le han llevado por delante en momentos de adversidad. "Yo sabía que no había nacido para ama de casa, monja, pintora ni astronauta. Yo iba a ser cantante."

¿Y qué de su música, su letra, su filosofía? Aunque dice que siente una necesidad de cantar miles de inconformidades y expresar un desacuerdo ante el sistema en que vivimos lo hace con una frescura juvenil con lenguaje urbano, diario, sin agresividad ni exceso. Habla directamente. El timbre poco común de su voz y un profesionalismo inusual en una artista tan joven son los extras que le han ayudado a superar, además de su carisma muy especial.

Con 21 discos de oro y 54 de platino y el éxito del álbum *Pies Descalzos*, ya canta en inglés, italiano y portugués. Sólo Enrique hijo de Julio (Iglesias) le gana en ventas en el mercado de la música hispana. ¿Hasta dónde llegará este pequeño huracán con bluyines? Lejos, muy lejos predecimos.

INFOSHAKIRA
color preferido: negro
signo: acuario
venta de discos: 3.000.000 y más
cumpleaños: 2 de febrero
flor predilecta: girasol
gustos: artesanías, fruta, museos, conocer el mundo

Oriéntate 1B ●

1 Se describe así

Mi colegio / pueblo / barrio / apartamento	es / está	sucio limpio viejo antiguo ruidoso aburrido
Mi casa / ciudad / habitación	es	pequeña tranquila moderna aislada amplia confortable grande nueva sencilla
Hay un cine un teatro un mercado una piscina una iglesia un banco un estadio X mil / millones (de) habitantes		
En invierno / verano / otoño / primavera	hace frío / calor / buen tiempo / mal tiempo	
Se puede(n) hacer / jugar visitar / ver coger	deportes pasatiempos música los museos de arte los monumentos el bus el tren el metro	

2 ¡Dos por el precio de uno! ¿Ser o estar?

SER

soy eres es somos sois son

definición / carácter / familia / nacionalidad / origen / religión / profesión / fecha / hora

Ejemplos: ¿Quién **eres**? **Soy** yo.
¿Cómo **es**? (cosa o persona)
Es fácil / alegre / trabajador(a).
¿De qué nacionalidad / origen **sois**?
Somos españoles/as, de Madrid.
¿Qué fecha **es**? **Es** domingo, **es** el 20 de julio.
¿Qué hora **es**? **Es** la una. / **Son** las doce.

ESTAR

estoy estás está estamos estáis están

situación / posición / localización / salud / emoción

Ejemplos:
¿Dónde **estás**? **Estoy** en la cocina.
¿Dónde **están** mis gafas?
Están encima de tu cabeza.
¿En qué curso **estáis**?
Estamos en tercero de ESO.
¿Cómo **estás**? **Estoy** mejor ahora.
Estoy contento/a.

3 El tiempo perfecto se escribe así

-ar ➞ -ado / -er ➞ -ido / -ir ➞ -ido

he	habl**ar** ➞ habl**ado**
has	jug**ar** ➞ jug**ado**
ha	beb**er** ➞ beb**ido**
hemos	ten**er** ➞ ten**ido**
habéis	viv**ir** ➞ viv**ido**
han	sub**ir** ➞ sub**ido**

oJo

abrir ➞ abierto	morir ➞ muerto
decir ➞ dicho	hacer ➞ hecho
escribir ➞ escrito	romper ➞ roto
poner ➞ puesto	ver ➞ visto
volver ➞ vuelto	

levantarse: me he levantado   te has levantado   se ha levantado
              nos hemos levantado   os habéis levantado   se han levantado

Taller 1B

1 Se describe así

a Pregunta a tu compañero/a acerca de su pueblo / ciudad.

¿Cómo es tu ciudad / pueblo?

¿Qué edificios hay?

¿Cuántos habitantes hay?

¿Qué hay de interés?

¿Qué transporte hay?

¿Qué tiempo hace en invierno / verano?

b Escribe un reportaje breve.

2 ¿Ser o estar?

Escoge la forma adecuada de **ser** o **estar**.

1 Mi madre (es / está) profesora.
2 (Soy / Estoy) de Bogotá.
3 Después de tanto ejercicio tienes que (ser / estar) cansado.
4 Hoy (somos / estamos) muy tristes porque se ha muerto nuestro perro.
5 Nuestro apartamento (está / es) en el último piso del edificio.
6 Hoy nos hemos mudado de casa. (Ha sido / Ha estado) un día terrible.
7 Te he buscado por todas partes. ¿Dónde (has estado / has sido)?
8 Creo que vamos a (ser / estar) muy contentos en nuestra casa nueva.

3 El tiempo perfecto

a Lee esta carta. Cópiala y escribe los verbos con el participio correcto.

Hola. En tu carta has (preguntar) si he (pasar) bien las vacaciones. Bueno pues te cuento que todo me ha (salir) divinamente. Primero hemos (poder) nadar todos los días – a veces me he (bañar) dos o tres veces durante el día.

En tu próxima carta dime lo que has (hacer); dónde has (ir) y con quién; qué has (ver) de interesante y cuándo has (volver).

b Aquí hay una lista de cosas que tu madre te ha dicho que hagas. Escribe la forma correcta de la pregunta para cada una, y tu respuesta.
Ejemplo: recoger tu habitación / la sala = ¿ Has recogido tu habitación? Todavía no, pero he recogido la sala.

 c Trabaja con tu compañero/a a ver quién puede hacer / decir la lista más larga.
He abierto la ventana. He escrito … He hecho …

limpiar los zapatos / el coche
ir al dentista / al cine
escribir a los abuelos / los deberes
hacer la cama / las compras
abrir la ventana / la puerta
fregar los platos / pasar la aspiradora
sacar la basura / poner la mesa
cortar el césped / trabajar en el jardín
dar de comer al gato / regar las plantas
lavarse el pelo / los dientes

Nos ponemos en contacto con España

El escenario

Tu colegio acaba de recibir un paquete de un colegio en España. Adentro hay unas cartas, unos folletos de información, unas fotos, diagramas y una casete. Proponen hacer un intercambio con tu colegio. Primero lee la información que han mandado.

Quiero ser fotógrafo.

Quiero ser abogada.

Los sábados ayudo en el asilo local.

Trabajo en el chiringuito durante el verano.

TAREAS

1 Escucha la casette y anota toda la información.

2 Prepara una de vuelta con la información que piden.

3 Prepara un folleto de presentación sobre tu barrio y tu colegio.

4 Escribe un programa de actividades para el grupo de visitantes.

5 Escribe una carta de invitación.

nombre   asignaturas

animales   casa   familia

colegio   rutinas y faenas

mi barrio   descripción

deportes

pasatiempos   intereses

panorama histórico

lugares de interés

Nuestro colegio

normas — uniforme — cantina

facilidades — Puntos de vista — orientación

calendario — horario

Asignaturas preferidas

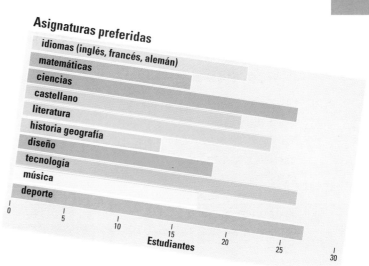

- idiomas (inglés, francés, alemán)
- matemáticas
- ciencias
- castellano
- literatura
- historia geografía
- diseño
- tecnología
- música
- deporte

Estudiantes: 0 5 10 15 20 25 30

Nuestro barrio

Cómo pasamos el tiempo libre - % en horas por semana

- cafetería 12%
- cine/tele 17%
- lectura 5%
- disco 2%
- otro (alpinismo/sellos etc.) 3%
- mar/piscina 11%
- música 15%
- deporte 35%

Para el turista

Facilidades

hoteles	muchos	
pensiones	muchas	
camping	2	
restaurantes	muchos	
cafeterías	muchas	
bares	muchos	
tiendas	varias y muchas	
mercado	1	
aparcamiento	varios	
oficina de turismo	2	

Ocio

teatro	1
cine	2
playa	4km.
piscinas	3
museos	4
bolera	1
minigolf	2
golf	1
marinas	3
parque natural	1
discos	muchas

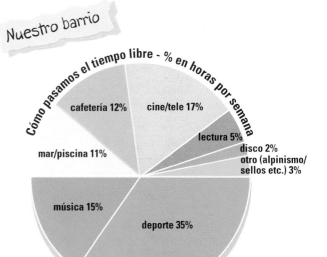

9 La agencia de viajes ● ● ● ● ● ● ● ● ● ● ● ● ● ● ● ● ● ● ●

Nos informamos

Estoy un poco confuso ...

No sé donde encontrar los informes.

¿Dónde están los aseos?

1 ¿Sabes contestar el teléfono?

a Escucha y repite.

– Oiga.
– Diga.
– Quiero hablar con el Señor Vásquez.
– Lo siento no está. Vuelva a llamarle por favor.
– Prefiero dejar un recado.
– ¿De parte de quién?
– De parte del doctor Jimenez.
– ¿Cuál es su teléfono por favor?
– ...

b Escucha los mensajes siguientes y anota los detalles.

Confirma el nombre y pide que lo deletreen.

RECADOS

fecha / hora: _____
para: _____
de quien: _____
teléfono: _____
mensaje: _____
_____

Confirma eso repitiéndolo.

Siempre repite el mensaje.

c Haz unos diálogos con tu compañero/a.

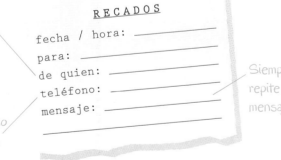

De: Sr Fuentes: favor llamar – 465 22 11

De: Sra de García – tel 435 56 27

2 ¿Sabes enviar un fax?

Para mandar un fax

● busque y anote el número – puede ser diferente o el mismo que el número de teléfono.
● rellene el memofax de la oficina con los detalles indicados.
● introduzca el papel / la hoja (boca arriba) en la sección indicada.
● hunda el botón indicado para transmitir el fax.
● marque el número.
● espere el sonido que indica aceptado o no.
● vuelva a marcar si es necesario.

En caso de que no dispongan de terminal vaya a BUROFAX.

Lee e indica si la frase es verdad (✓) o mentira (✗). Corrige las incorrectas.
1 Siempre hay que usar el mismo número de teléfono.
2 Es necesario escribir los detalles de la oficina.
3 Se pone el papel por encima del aparato.
4 El fax se transmite solo.
5 Si no tienen terminal no se puede mandar un fax.

oJo

tú	usted
busca	busque
introduce	introduzca
hunde	hunda

¿Te ayudo?

Oiga usted.
¿Quiere usted repetirlo por favor?
Repítalo por favor.
¿Cómo se escribe por favor?
¿Quiere usted deletrear esto?
Voy a repetir su mensaje.

3 ¿Dónde se sitúa?

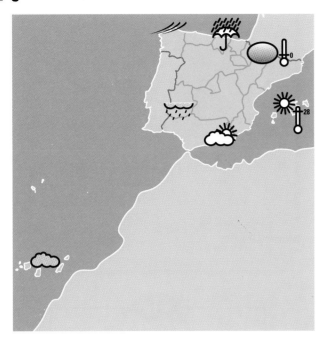

a Escucha e identifica si hay que hundir el botón A B C o E.
Ejemplo: 1 = A

A Américas	**C** Canarias
B Baleares	**E** España

b Vuelve a escuchar y rellena las casillas.

País	N / S / E / O	Detalles
Colombia	N (costa)	Santa Marta - atractiva y antigua

4 ¿Cómo es el clima?

a Mira los mapas. Di si la frase es correcta o no. Si no lo es corrígela.

1 En los Andes a menudo cae una llovizna fina.
2 En Tenerife hay tormenta.
3 En los Pirineos ha caído mucha nieve y hace frío.
4 Hace buen tiempo y bastante calor en Caracas.
5 Ahora está lloviendo en Buenos Aires.

b Escucha.
¿Qué tiempo hace?

1 En las Baleares …
2 En Extremadura …
3 En el sur de Chile …
4 En Costa Rica …
5 En Cuba …
6 En Cantabria …

oJo

Hace buen tiempo.	
Hace mal tiempo.	
Hace sol.	
Hace viento.	
Hace calor.	
Hace frío.	
Hay tormenta.	
Hay niebla.	
Hay llovizna.	
Llueve / Lluvia.	
Nieva / Nieve.	∗∗∗

5 Datos importantes para viajeros

a Escucha los mensajes grabados. Copia y escribe.

☎

Cliente: _____

Teléfono: _____

Mensaje: _____

b Telefonea a los clientes con la respuesta. A turnos con tu compañero/a, toma el papel del cliente.

Ejemplo:

– Oiga, ¿es la …?

– Sí, dígame.

– Tengo la información que usted pidió …

c Usa la información arriba para hacer más preguntas y respuestas.

Albergue Juvenil
Madrid. Fax 4022194

Electricidad = 220 225 AC (a veces 110 125 voltios en las Américas) enchufe bifásico

Salud = E111

Cambio de hora = último domingo de marzo y octubre

Reino Unido – prefijo = 07 – 44

Turismo: Madrid – 481 12 36
Barcelona – 481 02 48
Málaga – 481 02 53

Minusválidos – COCEMFE.
Tel: 91 – 413 80 01 Fax: 91 – 416 99 99

oJo

Es necesario …   Es preciso …
Es menester …   Hay que …

6 Informe general

a Lee.

Muy Señor mío:

Mi esposa y yo queremos viajar a un país hispanoparlante como no hablamos bien el inglés. ¿Qué país nos recomienda? ¿Puede vd informarnos sobre el clima y la clase de comida allí? Vamos a llevar cheques de viaje pero también necesitamos saber cómo se llama la moneda. ¿Cuánto nos aconseja llevar? ¿Hay que pagar tasa de aeropuerto a la entrada o salida? ¿Necesitamos tarjeta de turista o visa especial? Nos puede mandar toda la información que hemos pedido lo antes posible.

Le saluda atentamente

Jorge Balboa

Jorge Balboa y Sra.

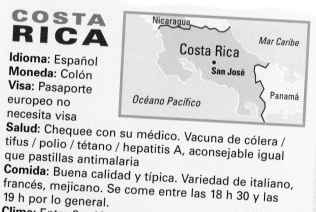

COSTA RICA

Idioma: Español
Moneda: Colón
Visa: Pasaporte europeo no necesita visa
Salud: Chequee con su médico. Vacuna de cólera / tifus / polio / tétano / hepatitis A, aconsejable igual que pastillas antimalaria
Comida: Buena calidad y típica. Variedad de italiano, francés, mejicano. Se come entre las 18 h 30 y las 19 h por lo general.
Clima: Entre 8 y 12 grados al norte del ecuador
Tasa de aeropuerto: Salida – 17 dólares EE UU

b Escribe una respuesta. Contesta a las preguntas e incluye todos los detalles pedidos.

▲ Escribe de 80 a 100 palabras.

¿Te ayudo?

país   época   clima   comida   dinero / moneda
tasa   visa   ¿Qué más?

7 Tarjeta de Los Andes

a Lee la tarjeta.

Un saludo afectuoso para todos de aquí en la cordillera andina. Todo ha ido de maravilla. He visto paisaje espectacular - vicuñas, cóndores, picos increíbles. Ha hecho un clima agradable para mí - llovizna suave - días nublados y templados - hasta hemos tenido neblina. Hemos viajado varios días a caballo que siempre me ha asustado un poquito. ¡Todo va bien menos mi pompis adolorido! Nos vemos pronto.
Alejandro

b Lee las frases siguientes. Sólo hay dos correctas. ¿Cuáles son?
   1 Alejandro está de vacaciones en la playa.
   2 Ha pasado un rato muy agradable.
   3 No le ha gustado el tiempo porque ha hecho demasiado calor.
   4 No ha tenido miedo montado a caballo.
   5 Le duele el pompis un poco.

8 Saludos de Las Islas Galápagos

a Lee la tarjeta.

 b Escucha y rellena los huecos con las palabras adecuadas.

agua   de ataque   barco   sol   nadando
tortugas   las islas   historia

Querido Alejo
¡Aquí pasándolo ___1___! ¡Esto sí que es la vida hermano! ___2___ con las focas y ___3___ en ___4___ tibia - ___5___ divino, cielos despejados - viviendo la ___6___ darwiniana. Hemos dado la vuelta de ___7___ en una panga - tipo de ___8___. Abrazos de tu hermanito,
Sebas

9 ¡Casi un desastre!

 Escucha y reorganiza las frases.

Nerja – agosto
Al llegar al hotel todo parecía de maravilla ...

Mi papá se puso furioso y
— calor, ni una nube en el cielo
En fin nos alojaron
Pedimos nuestro cuarto y
y nos compensaron con el desayuno gratis.
y el mar estaba cristalino.
mi mamá trató de calmar la situación,
en un anexo bastante moderno pero muy pequeño
nos dijeron que no sabían nada de nosotros.
y nosotros tres sólo queríamos ir a la playa.

Lo pasamos rico. Mar, siesta, comida y disco durante siete días – la locura.

10 A ti te toca

Imagina que estás de vacaciones en uno de estos lugares.
▼ Escribe una tarjeta postal a tu amigo/a.
▲ Escribe una tarjeta postal a tu amigo/a contando unas vacaciones buenas o malas que has pasado.

Preguntas claves

¿Adónde fuiste?
¿Con quién fuiste?
En grupo / Con amigos / Con familia
¿En qué época del año fue?
¿Qué tiempo hizo?
¿Qué hiciste de interesante?
¿Visitaste algo / un monumento?
¿Cómo viajaste?

10 Averiguamos •••••••••••••

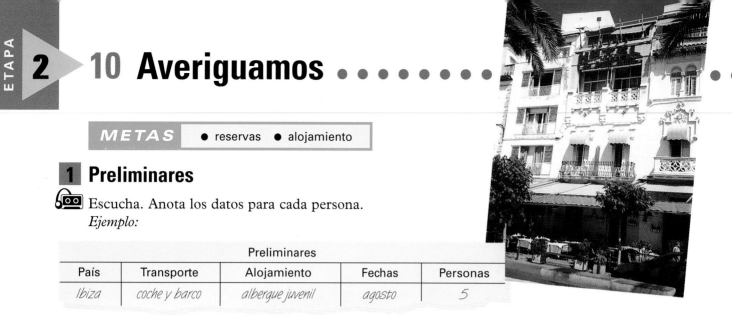

1 Preliminares

🔊 Escucha. Anota los datos para cada persona.
Ejemplo:

Preliminares				
País	Transporte	Alojamiento	Fechas	Personas
Ibiza	coche y barco	albergue juvenil	agosto	5

2 Reservas y confirmaciones

👥👥 Hay que hacer estas confirmaciones y reservas.
Llama por teléfono: tu compañero/a te
ayudará, tomando el papel de recepcionista.

– Oiga, ¿éste es el hotel Santa María?
– Sí, dígame.
– Aquí de parte de Turismo Mundobello
   quiero confirmar una reserva.
– ¿Para cuántas personas?
– Para cuatro: dos adultos y dos niños.
– ¿Para qué fecha?
– Desde el dos hasta el ocho de agosto.
– ¿Pensión completa o media pensión?
– Media pensión.
– Pues le repito. Cuatro personas –
   media pensión del dos al ocho
   de agosto. ¿Sería tan amable
   de mandar la confirmación
   por escrito?
– Vale.
– Gracias, adiós.

¿Te ayudo?

hotel / cámping / albergue juvenil / apartamento
barco / avión / tren / coche / autocar
pensión completa / media pensión

A confirmar

> **TURISMO MUNDOBELLO**
>
> Reserva hecha ayer en nombre de
> Ríos. Albergue Juvenil. Grupo escolar
> mixto (doce) – del 27 al 31 de julio.
> Necesitan alquilar sábanas.

A reservar

> **TURISMO MUNDOBELLO**
>
> Cliente: Puente – tres señoritas
> Fechas: 3 – 21 agosto
> Tipo: Apartamento Antemare

> **TURISMO MUNDOBEL.**
>
> Cliente: Pozo – padre y dos niños
> Fechas: 22 – 31 julio
> Tipo: Camping La Ballena Alegre

> **TURISMO MUNDOBELLO**
>
> Cliente: Ribera – cinco hombres
> Fechas: 14 – 19 septiembre
> Tipo: Hotel Parador pen comp.

3 ¿Qué tipo de alojamiento les sirve?

Lee las frases. ¿Qué recomiendas?

1 Cambiamos de lugar cada día como
  estamos haciendo autostop.
2 Preferimos estar como en familia
  y hacer compras y cocinar en casa.
3 Tiene que ser muy cómodo y a
  precio bastante razonable.
4 Buscamos algo de lujo como es
  nuestra luna de miel.
5 Viajamos en coche de lugar en lugar
  pero queremos estar cómodos.

PARADORES DE TURISMO

🚶🏠 Albergue juvenil

★★★ HOTEL

CAMPING MUNICIPAL

Pensión

APARTAMENTOS SOLIMAR

4 ¿Qué recomiendas?

a Lee.

Salamanca – donde se habla el castellano de los reyes. Combina vacaciones con estudios – grupos o individuos – bienvenidos todos al Hostal Las Incas. Visitas guiadas a lugares de interés.

Cámping Municipal La Paz
Parcelas y espacio libre – tiendas y caravanas – mar a 2 km – centro deportivo – parque infantil. Toda la familia a disfrutar.
Reservas tel. 986 – 54 32 81.

Gran Canaria les ofrece sol, playa y mar todo el año. Surf – buceo – pesca submarina – clases para principiantes. Aparthotel La Babilla – media pensión.

Viva la vida nocturna de Ibiza – Aptos Vidaloca – superofertas de verano – restaurantes, supermercados, todo muy cerca. Discos, clubes, todo a su alcance.

Aguafrías a 100 km de Madrid. Hotel en la Sierra de Navacerrada. Excursiones al monasterio de Paular, Segovia, El Escorial y Madrid.

La familia López quiere ir de vacaciones cerca del mar. Tiene tres varones de 8, 15 y 17 años. Les gusta toda clase de deporte pero nunca han hecho surf. A los padres les gustaría un lugar tranquilo en una región campestre.

La familia Serrano – una pareja jubilada. Les interesa visitar los monumentos y museos de arte. Buscan tranquilidad para leer y dar paseos. Les gusta la comida típica. Van a fines de septiembre – en coche.

La familia González – una familia grande y activa. Buscan una escena animada y concurrida. Les gustan las discos, toda clase de deporte. Les gusta la comida internacional. Quieren divertirse. Van en agosto – por avión.

Grupo escolar de 15 a 17 años. Vienen de Leeds con tres profesores y buscan lugar interesante para perfeccionar el idioma y donde pueden disfrutar la cultura y vida española.

b ¿Cuál de estos lugares recomiendas? ¿Por qué? Discútelo con tu compañero/a.

c Busca en la biblioteca o el CD Rom más información sobre un lugar que has escogido.

Escribe dos cartas.
d ● Una para la familia / el grupo.
● Otra al hotel / cámping / ....

Prepara una versión en borrador y muéstrala a tu jefe primero. Haz las correcciones si es necesario. Luego escribe la carta en un procesador de textos.

5 Hospedarse

a Lee la información del hotel.

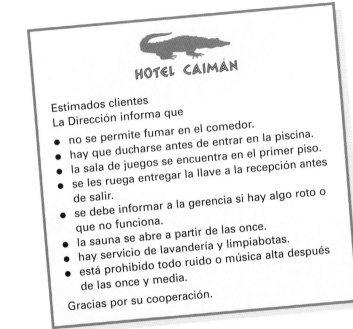

HOTEL CAIMÁN

Estimados clientes
La Dirección informa que

- no se permite fumar en el comedor.
- hay que ducharse antes de entrar en la piscina.
- la sala de juegos se encuentra en el primer piso.
- se les ruega entregar la llave a la recepción antes de salir.
- se debe informar a la gerencia si hay algo roto o que no funciona.
- la sauna se abre a partir de las once.
- hay servicio de lavandería y limpiabotas.
- está prohibido todo ruido o música alta después de las once y media.

Gracias por su cooperación.

b Indica si la frase es verdad (✓) o mentira (✗).
1 Hay que guardar la llave en su persona.
2 Hay que ducharse antes de nadar en la piscina.
3 La sauna no funciona.
4 Se puede lavar la ropa y limpiar los zapatos.
5 Hay que mantener silencio antes de las once.
6 Los niños pueden jugar en el primer piso.

¡ESTIMADO CLIENTE! ¿Ha pensado Usted alguna vez, cuantas toneladas de toallas se lavan diariamente en todos los hoteles del mundo sin que esto sea realmente necesario? ¿Imagínese las enormes cantidades de detergente que detrimentan innecesariamente nuestra agua?
DECIDA POR SI MISMO: Si deposita sus toallas en la bañera se las cambiaremos. SI las cuelga en el toallero, sabremos que las utilzará una vez más. Su medio ambiente se lo AGRADECERÁ.

6 A sus órdenes

a Lee las preguntas.

3 ¿Hay enchufe para máquinas de afeitar?

4 ¿Dónde se encuentran las duchas?

5 ¿A qué hora se sirve la cena?

2 ¿Se puede alquilar sábanas?

1 ¿Cuánto vale la media pensión?

6 ¿Es posible guardar nuestras cosas de valor?

b Escucha. Busca una respuesta adecuada.

A El único sitio que me queda está allí al lado de la basura.
B A partir de las siete y media de la noche.
C Sí hay pero no funciona en este momento.
D Por supuesto – el alquiler vale doscientas pesetas la noche.

E Hay caja fuerte en la recepción si quiere entregarlos allí.
F Sí, están entre los servicios y las duchas.
G Allá atrás de las parcelas al lado de la lavandería.
H Vamos a ver … cuesta mil ochocientas a diario.

c A turnos con tu compañero/a lee la pregunta y busca una buena respuesta.

7 Hay un problema

 a Escucha. ¿De qué se quejan?

A El ascensor no funciona.

B No hay jabón en el lavabo.

C Necesito una almohada extra.

D La persiana está rota.

E No me han cambiado las sábanas y están sucias.

F El wc está atascado.

G Hacen falta ganchos para la ropa.

H Hace falta papel higiénico – se acabó.

b Practica el diálogo con tu compañero/a.
Inventa otro, cambiando las quejas.
Graba una casete en español.

Recepcionista Buenos días. ¿Cómo le va?

Tú Muy mal, no he dormido en toda la noche.

R Lo siento mucho. ¿Qué le pasó?

T En la habitación de al lado tuvieron la radio a todo volumen.

R Les hablaré de esto en cuanto sea posible.

T Además la almohada no sirve para nada …

R Se la cambiaré en seguida.

T … y encima de todo las sábanas están sucias …

R Se las traigo limpias inmediatamente.

T … y por fin no encuentro mi pasaporte.

R No se preocupe Vd, lo tengo guardado en la caja fuerte.

8 El libro de reclamaciones

a Lee la lista de quejas de un cliente insatisfecho.

HOTEL NULO

a sus órdenes …

ascensor no funciona
falta de jabón
insuficiente ganchos
no daba a la piscina
demasiado ruido de la disco

b Escribe una carta de reclamación.

Dicho
No busques cinco pies al gato

```
Al Hotel Nulo                                    Tu dirección
Callejón Sin Salida                                 La fecha
Tierra Fingida

Muy Señor mío:

Le escribo para decir que mi familia y yo no gozamos las
vacaciones como esperamos. En efecto nos quedamos muy
insatisfechos durante los quince días que estuvimos en su
hotel ...


En espera de su pronta respuesta
quedo de usted
atentamente
```

1 ¿Cómo piensan viajar?

a Escucha e identifica el transporte.

b Escucha otra vez.
▼ ¿Qué les aconseja? ▲ ¿Por qué?

> **ojo**
>
> en   barco / avión / tren / coche / autocar

> **¿Te ayudo?**
>
> En mi opinión ...
> Yo creo que ...
> Yo pienso que ...

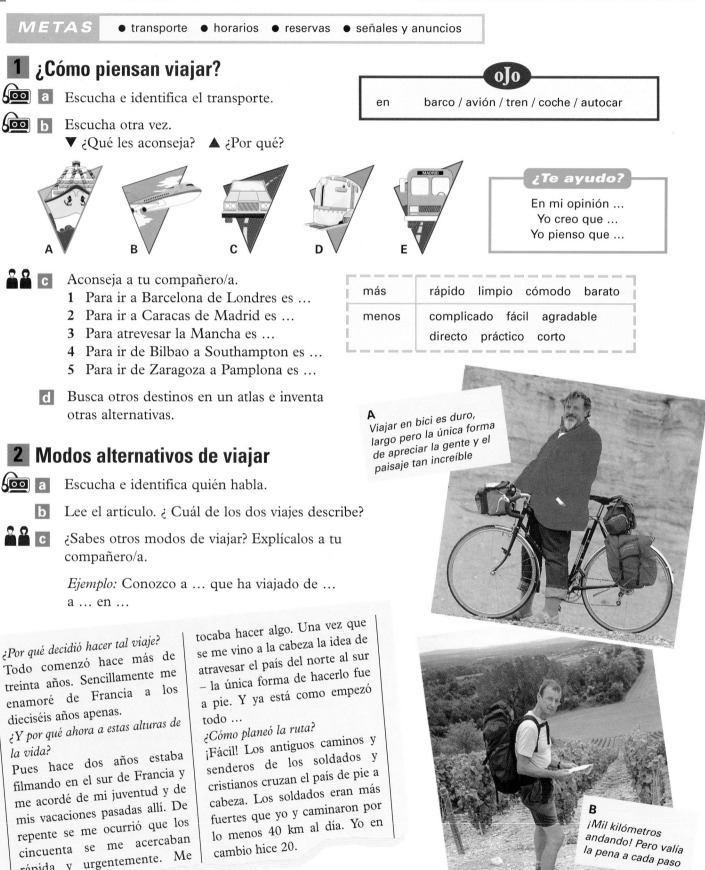

A   B   C   D   E

c Aconseja a tu compañero/a.
1 Para ir a Barcelona de Londres es ...
2 Para ir a Caracas de Madrid es ...
3 Para atrevesar la Mancha es ...
4 Para ir de Bilbao a Southampton es ...
5 Para ir de Zaragoza a Pamplona es ...

| más | rápido limpio cómodo barato |
| menos | complicado fácil agradable directo práctico corto |

d Busca otros destinos en un atlas e inventa otras alternativas.

2 Modos alternativos de viajar

a Escucha e identifica quién habla.

b Lee el artículo. ¿ Cuál de los dos viajes describe?

c ¿Sabes otros modos de viajar? Explícalos a tu compañero/a.

Ejemplo: Conozco a ... que ha viajado de ... a ... en ...

A
Viajar en bici es duro, largo pero la única forma de apreciar la gente y el paisaje tan increíble

¿Por qué decidió hacer tal viaje? Todo comenzó hace más de treinta años. Sencillamente me enamoré de Francia a los dieciséis años apenas.
¿Y por qué ahora a estas alturas de la vida?
Pues hace dos años estaba filmando en el sur de Francia y me acordé de mi juventud y de mis vacaciones pasadas allí. De repente se me ocurrió que los cincuenta se me acercaban rápida y urgentemente. Me tocaba hacer algo. Una vez que se me vino a la cabeza la idea de atravesar el país del norte al sur – la única forma de hacerlo fue a pie. Y ya está como empezó todo ...
¿Cómo planeó la ruta?
¡Fácil! Los antiguos caminos y senderos de los soldados y cristianos cruzan el país de pie a cabeza. Los soldados eran más fuertes que yo y caminaron por lo menos 40 km al día. Yo en cambio hice 20.

B
¡Mil kilómetros andando! Pero valía la pena a cada paso

3 El horario

a Consulta el horario. ¿Cuántos errores puedes encontrar en la información de abajo?

1 Este folleto da informes de trenes y coches.
2 Da información para toda España.
3 El número tres equivale a miércoles.
4 Hay capacidad para setenta y cinco coches y once caravanas.
5 No se puede salir de Barcelona los lunes.

b Contesta a las preguntas:
▼ con una sola palabra.
▲ con una frase entera.

1 ¿Cuántas veces a la semana sale de Barcelona a Palma?
2 ¿Cuántas personas caben?
3 ¿Hay servicio para minusválidos?
4 ¿A qué velocidad va?
5 ¿A qué hora sale de Valencia?

c Varios grupos quieren viajar. Escucha. ¿Qué quieren? ¿Se puede o no se puede?

d ¿Qué les aconsejas? Barcelona – Palma

FAST FERRY
LA AUTOPISTA DEL MAR

BARCELONA ↔ PALMA   PALMA ↔ IBIZA
VALENCIA ↔ PALMA   VALENCIA ↔ IBIZA

CARACTERÍSTICAS TÉCNICAS Y ACOMODACIONES

- Eslora total: 95.202m • Manga: 14.60m
- Potencia motor: 4 x 5,400 Kw • Velocidad: 37 nudos
- Capacidad: 450 pasajeros • 76 Coches • 11 Caravanas
- Bar Clase Club • Bar Clase Turista • Monitores TV
- Música • Tienda • Teléfono

ESTOS HORARIOS E ITINERARIOS SE PUEDEN
MODIFICAR SIN PREVIO AVISO

SIGNOS CONVENCIONALES

1 Lunes 2 Martes 3 Miércoles 4 Jueves 5 Viernes 6 Sábado 7 Domingo

HORARIOS E ITINERARIOS • TIMETABLE					
Travesia	15.05.97 / 15.06.97			16.06.97 / 14.09.97	
	Hora	Día • Day • Jour • Tag		Hora	Día • Day • Jour • Tag
Barcelona-Palma	17.00	• 2 3 4 5 • •			
	19.00	• • • • • • 7		19.00	• 2 • 4 • 6 7
Palma-Barcelona	07.30	• 2 3 4 5 6 •		07.30	• 2 • 4 • 6 7
Valencia-Palma	17.00	1 • • • • • •		17.00	① • ③ • ⑤ • •
Palma-Valencia	07.30	1 • • • • • •		07.30	① • ③ • ⑤ • •
Valencia-Ibiza	–	–		17.00	1 • 3 • 5 • •
Ibiza-Valencia	–	–		10.15	1 • 3 • 5 • •
Palma-Ibiza	–	–		07.30	1 • 3 • 5 • •
Ibiza-Palma	–	–		21.00	1 • 3 • 5 • •

NOTA: Los días 26, 27, 29 y 31 de julio: 2, 3, 14, 16, 17, 28, 30 y 31 de agosto y 2 de septiembre, las salidas de Barcelona serán: 11.45 y 21. 45 y las de Palma: 07.00 y 17.00.

1 Tenemos un hotel reservado para el treinta y uno de julio desde las doce del mediodía. ¿Cuándo es mejor viajar?

2 ¿Hay facilidades para nosotros? Nos gustaría viajar en septiembre. ¿Cuándo y a qué hora nos aconseja viajar?

3 Vamos a llegar bastante tarde en la noche a Barcelona el día tres de agosto. ¿Será posible viajar?

e Inventa diálogos con tu compañero/a.

Preguntas claves

¿A qué hora sale / va a salir / saldrá?
¿A qué hora llega / va a llegar / llegará?
¿De dónde sale ...?
¿Adónde llega ...?
¿Va directo?
¿Hay / Habrá que cambiar?
¿Qué facilidades hay / habrá?

4 Reservas

 a Escucha y anota los datos.
Ejemplo:

FICHA DE RESERVA

FECHA:	*lunes 22*
DESTINO:	*Granada*
BILLETE:	*ida sólo*
CLASE:	*segunda*
PRECIO:	*2,500 ptas*
EXTRAS:	*no fumador*
ASIENTO:	*32*
SALIDA:	*11 h*
LLEGADA:	*17 h*

b Usa dos fichas de reservas diferentes de los que has anotado. Inventa unos diálogos con tu compañero/a. Usa las preguntas claves de la página 57.

5 El billete

 a Mira el billete y escucha.

b ¿Puedes explicar este billete a tu compañero/a?

¿De dónde sale este viajero?
¿En qué fecha viaja?
¿Cuánto cuesta el billete?
¿Es ida sólo o ida y vuelta?
¿Qué hay que hacer con el billete?

¿Te ayudo?

Voy a viajar …
¿A qué hora?
Vale
¿Algo más?

oJo

llega / llegará
sale / saldrá
es / será
está / estará

La RENFE informa

⊃ **La Red Nacional de Ferrocarriles Españoles** cubre todo el país con 13,000 km de vías. No es costoso viajar en tren. Sólo hay dos clases – primera y segunda.

Los trenes de *largo recorrido* van entre ciudades principales y se puede viajar de noche en litera o en cochecama si quiere.
Estos trenes son: Electrotren – Talgo – Pendular.

Los trenes *regionales o cercanías* son frecuentes y se llaman Expreso – Rápido – Semidirecto o Tranvía.

⊃ **Trenes especiales:**
El AVE va de Madrid a Sevilla vía Córdoba en tres horas – en un tren de alta velocidad.

El ANDALUS va de Sevilla por Córdoba, Granada, Málaga a Jerez de la Frontera. Es un tren turístico de lujo y corre entre abril y diciembre.

El TRANSCANTABRICO corre el largo de la costa norte de San Sebastián a Santiago de Compostela entre junio y septiembre.

⊃ **Días azules:** 10% descuento. (Mayores de 65, menores de 12 y grupos de más de 11 personas con billete ida y vuelta hasta 50% de descuento.)

MADRID AT.
12:03 1023EC 3635
23-ABR-1998 K:88 C:02
I/V REGIONAL
REGIONAL
07166 S:_ 044
PTAS: *1110*
INTRODUCIR PARA FORMALIZACION
CANTIDAD : *555*
Validez vuelta 15 dias.
Formalizar en taquilla
si: vuelta distinto dia
ida, clase 0 tarifa tren
VUELTA IGUAL A IDA
TOLEDO

6 Señales para viajeros

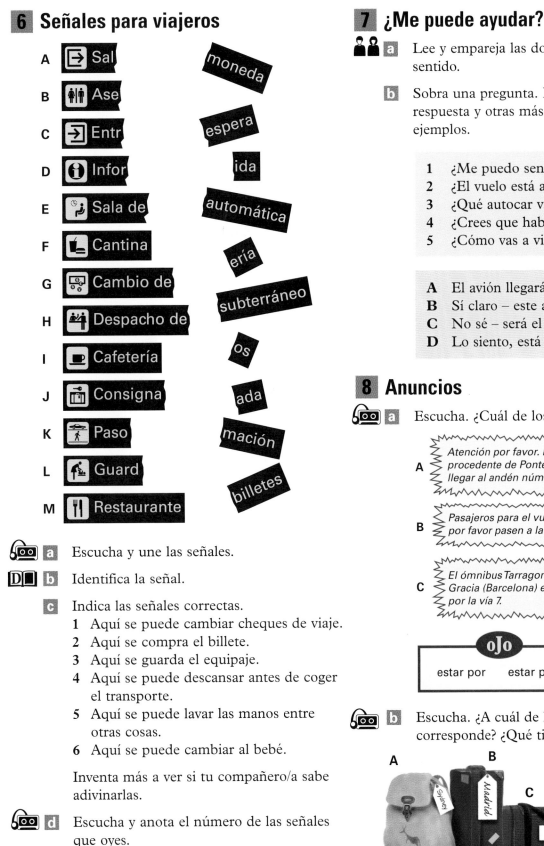

A ⏵ Sal

B 🚻 Ase

C ⏴ Entr

D ℹ Infor

E Sala de

F Cantina

G Cambio de

H Despacho de

I Cafetería

J Consigna

K Paso

L Guard

M 🍴 Restaurante

moneda
espera
ida
automática
ería
subterráneo
os
ada
mación
billetes

a Escucha y une las señales.

b Identifica la señal.

c Indica las señales correctas.
1 Aquí se puede cambiar cheques de viaje.
2 Aquí se compra el billete.
3 Aquí se guarda el equipaje.
4 Aquí se puede descansar antes de coger el transporte.
5 Aquí se puede lavar las manos entre otras cosas.
6 Aquí se puede cambiar al bebé.

Inventa más a ver si tu compañero/a sabe adivinarlas.

d Escucha y anota el número de las señales que oyes.
Ejemplo: 1 = B, D, …

7 ¿Me puede ayudar?

a Lee y empareja las dos partes según su sentido.

b Sobra una pregunta. Inventa una respuesta y otras más siguiendo los ejemplos.

1 ¿Me puedo sentar aquí?
2 ¿El vuelo está atrasado?
3 ¿Qué autocar vas a coger?
4 ¿Crees que habrá sitio?
5 ¿Cómo vas a viajar?

A El avión llegará ahora a las cinco.
B Sí claro – este asiento está libre.
C No sé – será el de las cuatro.
D Lo siento, está ocupado.

8 Anuncios

a Escucha. ¿Cuál de los anuncios oyes?

A Atención por favor. El tren rápido procedente de Pontevedra está por llegar al andén número 5.

B Pasajeros para el vuelo Iberia IB 506 por favor pasen a la puerta número 8.

C El ómnibus Tarragona – Paseo de Gracia (Barcelona) está para salir por la vía 7.

oJo

estar por   estar para

b Escucha. ¿A cuál de los viajeros corresponde? ¿Qué tiene que hacer?

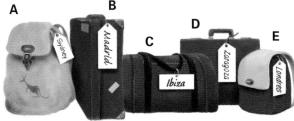

A B C D E

12 Asuntos de tránsito ● ● ● ● ● ● ● ● ● ● ● ● ● ●

Quiero alquilar un coche pequeño por el día.

Necesito ver su pasaporte y carnet de conducir.

1 Quiero alquilar …

a Consulta la información. ¿Cuántos errores hay abajo?

1 Se les ofrece nueve modelos de vehículo para alquilar.
2 No se puede alquilar coche descapotable.
3 Se puede devolver el coche a cualquier oficina.
4 Hay que haber cumplido veintitrés años.
5 Se les ofrece ayuda durante todo el día.

Para realizar su reserva o solicitar más información llame al teléfono
901 135790
o a su Agencia de Viajes

Condiciones Generales de la Tarifa Fin de Semana Flexible

- La tarifa incluye kilometraje ilimitado.
- La tarifa excluye: CDW (Exención parcial de responsabilidad por daños al vehículo por collision), TP (Exención parcial de responsabilidad por el robo o hurto del vehículo), PAI (Seguro personal), Gasolina e IVA de estos conceptos.
- El coche deberá devolverse en la misma ciudad donde se recogió.
- El cliente deberá estar en posesión de su permiso de conducción, al menos con un año de antigüedad y haber cumplido los 23 años.

Precios sujetos a cambio sin previo aviso.
La información incluída en este folleto es correcta en el momento de su impresión.

Asistencia 24 Horas
91 – 597 21 25

- Todos nuestros vehículos utilizan gasolina sin plomo, por favor adviértalo en el momento de repostar su coche.

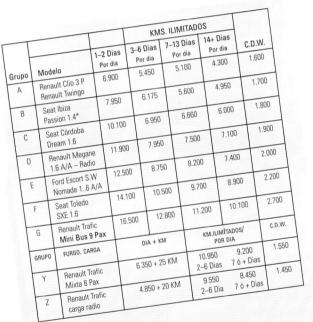

| | | KMS. ILIMITADOS | | | | |
Grupo	Modelo	1–2 Dias Por dia	3–6 Dias Por dia	7–13 Dias Por dia	14+ Dias Por dia	C.D.W.
A	Renault Clio 3 P Renault Twingo	6.900	5.450	5.100	4.300	1.600
B	Seat Ibiza Passion 1.4*	7.950	6.175	5.600	4.950	1.700
C	Seat Córdoba Dream 1.6	10.100	6.950	6.660	6.000	1.800
D	Renault Megane 1.6 A/A – Radio	11.900	7.950	7.500	7.100	1.900
E	Ford Escort S.W Nomade 1..6 A/A	12.500	8.750	8.200	7.400	2.000
F	Seat Toledo SXE 1.6	14.100	10.500	9.700	8.900	2.200
G	Renault Trafic Mini Bus 9 Pax	16.500	12.800	11.200	10.100	2.700

		DIA + KM	KM.ILIMITADOS/ POR DIA		C.D.W.
GRUPO	FURGO. CARGA		10.950 2–6 Dias	9.200 7 ó + Dias	1.550
Y	Renault Trafic Mixta 6 Pax	6.350 + 25 KM			
Z	Renault Trafic carga radio	4.850 + 20 KM	9.550 2–6 Dia	8.450 7 ó + Dias	1.450

* Descapotable
P.A.I. (500 Ptas. seguro occupantes)

CONDICIONES GENERALES

El vehículo tiene que ser devuelto en la misma oficina.
SEGURO. Todas las tarifas incluyen el Seguro Obligatorio del automóvil de acuerdo con las leyes del país. Coberturas adicionales están a su disposición mediante un pequeño cargo.
IMPUESTOS. No están incluidos en estas tarifas.
PERMISO DE CONDUCIR Y EDAD. El arrendatario deberá haber cumplido 23 años y estar en posesión de su permiso de conducir con un año de antigüedad como mínimo.
GASOLINA. No está incluida en estas tarifas.
PAGO. Se puede pagar mediante tarjeta de crédito.

b Lee las preguntas. ¿Qué les aconseja?

1 ¿Hay que pagar la gasolina extra?
2 ¿Puedo pagar con tarjeta de crédito?
3 ¿Si acabo de aprobar el examen de conducir me permiten alquilar un coche?
4 ¿En caso de avería a qué número llamo?
5 ¿Hay que usar una gasolina especial?

c Escucha. ¿Qué alquilan estas personas? ¿Por cuánto tiempo? ¿Para cuántas personas? ¿Cuánto cuesta?

2 Servicio taller

  **a** Escucha. ¿Qué servicios necesitan?

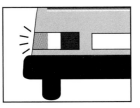

A limpiar parabrisas   **B** presión neumático   **C** aceite   **D** agua / radiador

   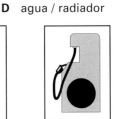

E indicador trasero   **F** cambiar limpiabrisas   **G** super   **H** sin plomo   **I** gasóleo

b Pide estos servicios. Practica con tu compañero/a.

> **Preguntas claves**
>
> ¿Puede revisar …? ¿Dónde hay … ?
> ¿Se puede …? Me hace el favor de …
> Necesito … ¿Quiere comprobar …?
> ¿Es posible …?

c Practica este diálogo con tu compañero/a.

– Buenas tardes. Póngame cinco mil pesetas de gasolina por favor.
– Vale señor(a). ¿Qué tipo de gasolina?
– Necesito sin plomo para este coche.
– ¿Algo más?
– ¿Se puede pagar con tarjeta de crédito?
– Sí por supuesto.

3 Averías

Lee los anuncios para los talleres. ¿Adónde irías en caso tal de las siguientes averías?

1 El coche no anda. Necesito un remolcador.
2 Tuve un tropezón y tengo el coche rayado.
3 Me hace falta la rueda de repuesto.
4 La bocina no suena. ¿Qué hago?
5 El espejo lateral se rompió. Hay que comprar otro.
6 El vidrio de la ventana no sube ni baja.
7 Tengo un pinchazo.
8 El faro izquierdo no sirve.
9 El motor se está calentando.
10 Los frenos no funcionan bien.

C

VIDRIOS SUPERCRISTAL
ventanas / parabrisas toda clase de reparo

MOVIL-LLANTERÍA

Servicios 24 HORAS
grua – remolcador
Cercanías solamente

A

supercaucho / pinchazos / neumáticos nuevos
Tel: 908 49 93 22

Taller Picasso
Reparaciones y pintado
Escoge su color y estilo

D

B

4 ¿Se puede aparcar aquí?

 Escucha y sigue la conversación.
Identifica la señal.

– Oiga usted, ¿no ve la señal aquí?
  No se puede aparcar el coche.
– ¡Ay perdona! No había visto el aviso.
  Voy a ponerme allá al otro lado de la calle.
– Tampoco señor. ¿No ve usted que dice que
  está prohibido entre las 16 h y 20 h?
– Bueno pues, ¿y en la otra calle a la derecha?
– No se puede esta quincena.
– Bueno, ¿dónde diablos se puede aparcar por
  aquí entonces?
– ¿Por qué no se aprovecha del nuevo sistema
  de pagar y aparcar? Así no tendrá problema.

A	B	C
8h–14h 16h–20h lunes a sábado	1–15	16–30

5 Velocidad máxima

Lee el aviso y contesta a las preguntas.

¿Listos para el peaje?
Telepago = chip en el parabrisas
Automático = carta de crédito
Manual = dinero

PEAJE / TOLL

Conduzca Seguro
Información de tráfico y
carreteras (900) 12 35 05

En Autopista la máxima velocidad bajo sol es 120 km/h,
bajo lluvia 110 km/h

	☀	☁
En Autovía	110	100
En Carretera	90	80
En Comarcales y ciudad	60	50

No se debe sobrepasar estos límites máximos

Multas por infracciones: 1,000 ptas por cada km/h sobre
el límite, al instante

1 Si está lloviendo, ¿cuál es la velocidad
   máxima permitida en autopista?
2 ¿Qué pasa si sobrepaso el máximo?
3 ¿Se puede averiguar la vía por teléfono?
4 Si hace buen tiempo y estoy viajando en
   el campo, ¿cuál es la máxima velocidad
   permitida?
5 ¿Es posible no pagar el peaje en seguida?

6 Propaganda

Inventa una similar para la velocidad o
alcohol. Escríbela por ordenador o a mano.

¡NO SEAS TONTO!

Beber y conducir
no son amigos

¿Lo sabías? El límite permitido
de alcohol es 80 mg por mililitro

7 A ti te toca

Trabaja con tu compañero/a. Escribe un
informe para turistas que van a visitar tu
barrio. Incluye los reglamentos de
aparcamiento y tráfico que conoces.

8 Conducir al extranjero

a Lee y anota los detalles.

b Escucha. ¿Cuál de las situaciones se describe?

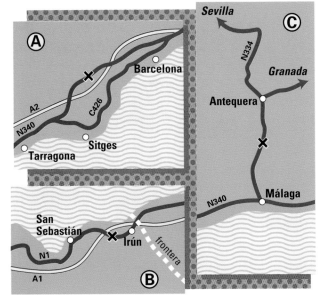

INSTRUCCIONES
Si necesita ayuda pulse el botón correspondiente. Permanezca a la espera.

c Practica esta conversación telefónica con tu compañero/a.

– ¡Dígame!
– Oiga, me llamo Alonso y mi coche está averiado.
– ¿Qué le pasa?
– No tengo la menor idea.
– ¿Dónde está usted?
– En la autopista, teléfono número 25.
– ¿Qué marca de coche tiene usted?
– Es un Citroën AX, azul oscuro.
– ¿Y la matrícula?
– B 4052 N.
– Voy a mandar un remolcador. Llegará dentro de un cuarto de hora.
– Mil gracias.

d Inventa otros diálogos usando el ejemplo.

¿Te ayudo?
¿Dónde estabas?
¿Cómo viajabas?
¿Qué pasó al coche / a la bici / a ti?
¿Qué hiciste?
¿Cómo se resolvió?

9 A ti te toca

▼ Escribe una tarjeta postal describiendo una avería que te pasó en vacaciones. Usa los dibujos arriba para ayudarte.

▲ Escribe un cuento (no más de 80 palabras) de una avería que te pasó en vacaciones.

Extra 2A ●●●●●●●●●●●●●●●●●●●●●●●●●●●●●

Mi diccionario (2)

1 Amigos falsos

¡Cuidado! No son muchos pero son traicioneros
largo = *LONG* (no *large* como pretende)

a Busca el verdadero significado. Anótalo y apréndelo.

> sensible   actual   librería   agenda   realizar

b Haz un afiche para tu clase titulado 'Amigos falsos'.
Cada vez que encuentres uno, escríbelo en letras
grandes – mayúsculas – sobre el afiche.

c Busca la diferencia entre …

el libro	la libra
el banco	la banca
el manzano	la manzana

¿Conoces otros ejemplos?

d Anota y aprende. Haz unas
frases para indicar la diferencia.

saber / conocer
pedir / preguntar
jugar / tocar

oJo

Hay unas excepciones con la
regla general de masculino /
femenino.
Ejemplo: **la** man**o**
　　　　el agu**a** fresc**a**

Similares pero no son lo mismo
Entre el masculino y el femenino hay un mundo de diferencia.

casete 　　　　 dame **el** casete 　　　　 dame **la** casete

¿Tú tienes mi casete?
No, no tengo tu casete … pero sí tengo tu casete.

¡Qué confusión verdad!

¡Más de un sentido!

　　　una tienda 　　　　　una tienda

　　　una muñeca 　　　　　una muñeca

e ¿Estas palabras son **el** o **la**?

> foto   moto   radio   clima   día   problema   mapa

2 ¡Palabras, palabras y aun más palabras!

Unos trucos para aprender

1 Haz dos listas.

Cubre una lista y di la otra en voz alta.
Después al revés.

2 Destaca las palabras masculinas con verde,
las femeninas con amarillo y las que no siguen
la regla (irregulares) con rojo.

3 Aprende por sílabas.
el ins - ti - tu - to　　　　　el bar ⟨ idad / co / bero

4 Practica con tu compañero/a.

Quiero un he-la-do bo-ca-di-llo

Busco una re-vis-ta blu-sa co-ca-co-la Necesito

Haz más ejemplos con Voy a / al / a la …

5 Pega carteles por toda la casa. Pídele el favor a
tu amigo/a o hermano/a de cambiarlos. Trata de
pegarlos en su puesto correcto.

6 Graba las palabras nuevas cada semana en tu
casete. Pronúncialas bien. Deja una pausa entre
cada palabra. Adelanta o atrasa la casete.
Empieza por dondequiera. Repite las palabras –
hasta cántalas al compás de tu canción favorita.

·MAÑAS·MAÑAS·MAÑAS·MAÑAS·MAÑAS·

1 Escucha 🔈 📟 ✗

- Relaciona las preguntas con la sección correcta.
  ¿Cómo se llama …?
  Busca **nombre** en la ficha que hay que llenar.
  ¿Dónde vive …?
  Busca **dirección** en la ficha que hay que llenar.

- Anota los datos que tienes que identificar. Subráyalos en la pregunta o anótalos por separado y en borrador si tienes tiempo.

- Haz unas predicciones.
  Ejemplo: una casa → los cuartos → los muebles → detalles
  Haz una lista (mental) de todas las palabras útiles.
  Ejemplo: dormitorio, grande / pequeña, cama, armario …

- Pon atención a detalles como la palabrita **no**.
  Hay un mundo de diferencia entre:

    No me gusta el deporte.

    No, me gusta el deporte.

- Cuidado con las preguntas y afirmaciones.

    ¿Es grande?   *Es grande.*

- Anota en borrador las palabras claves – inventa tu propio sistema de abreviaciones.
- Repítelas en tu cabeza sobre todo en las pausas.
- No escribas frases enteras mientras estás escuchando.

2 Lee 📖 📟 ✓

¡Consejo importante!
No hay que comprender cada palabra.

- La estructura del texto te ayudará a comprender el sentido total.
  Cada párrafo nuevo corresponde a una parte nueva.
- Por lo general las preguntas siguen en el contexto pero cuidado, ¡no siempre es así!
- Cuidado con los verbos. Chequea siempre los tiempos y las personas.

a   Lee este ejemplo.

¿Animales en vía de aparición o desaparición?

No sólo los animales exóticos y lejanos sino también los más cercanos son amenazados por el hombre y el comercio. El oso a principios de siglo erraba por los Pirineos. Hoy en día hay pocos pero poquísimos que andan salvajes en su hábitat natural.

Cosa extraña es que al mismo tiempo en que hablamos del peligro de extinción de ciertas especies podemos citar otras nuevas que han aparecido durante el siglo veinte.

b   Anota las palabras que:
  1 ya conoces
  2 se parecen a palabras inglesas
  3 contienen una palabra española que ya conoces.

c   Clasifica los verbos subrayados.
  tiempo – persona – infinitivo

d   Indica donde hay cambio de párrafo. Explica el cambio de texto.

Oriéntate 2A ●●●●●●●●●●●●●●●●●●●●●●●●●●

1 ¿Dónde se sitúa?

Por favor señor(a)

¿Dónde está(n)   el puerto?   la piscina?   los taxis?

¿Por dónde se va / ¿Cómo llego   a / al / a la / a los / a las ...?

Va / vaya	todo recto hasta el paso a nivel / los semáforos	
Sigue / siga	la vía hacia la iglesia / el cruce	
Coge / coja	la primera / segunda calle	
Dobla / doble	a la izquierda / derecha	
Cruza / cruce	el paso de peatones / el subterráneo	
Atraviesa / atraviese	la plaza / el puente	
Sube / suba		
Baja / baje		

Allí está(n)   delante de ti / usted / en la esquina
Se encuentra(n)   en las afueras / en el norte...

2 ¿Por o para?

POR
= a cambio de / un período de tiempo

PARA
= a quién o qué algo se destina / usa / tiene la intención / sirve

Ejemplos: Voy de vacaciones **por** quince días.
Gano 2,000 ptas **por** hora.

Ejemplos: Compré un diccionario **para** estudiar y aprender el vocabulario.
¿**Para** quién es el regalo? Es **para** mi hermano.

3 Así se escribe el pretérito

Para los **verbos regulares** ...
se les quita el final   -ar   -er   -ir   y se les añade

é	aste	ó	amos	asteis	aron
í	iste	ió	imos	isteis	ieron
í	iste	ió	imos	isteis	ieron

hablar: hablé hablaste habló hablamos hablasteis hablaron
comer: comí comiste comió comimos comisteis comieron
salir: salí   saliste salió salimos salisteis salieron

¡Los **verbos irregulares** son harina de otro costal!

dar: di diste dio dimos disteis dieron
ir: fui fuiste fue fuimos fuisteis fueron
ser: fui fuiste fue fuimos fuisteis fueron
ver: vi viste vio vimos visteis vieron
hacer: hice hiciste hizo hicimos hicisteis hicieron
tener: tuve ...
poder: pude ...
poner: puse ...
querer: quise ...
venir: vine ...
decir: dije ...

ojo
Los verbos irregulares normalmente no tienen acento en el pretérito: fui, fue, vi, vio, *etc.*

Unos verbos que terminan en **-ir** cambian en la tercera persona singular y plural.
dormir: dormí dormiste d**u**rmió dormimos dormisteis d**u**rmieron
pedir: pedí pediste p**i**dió pedimos pedisteis p**i**dieron

la **o** cambia a **u**: morir conseguir   la **e** cambia a **i**: sentir preferir reír

1 ¿Dónde se sitúa?

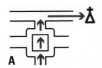 **a** Escucha las conversaciones. ¿A cuál de los mapas se refiere?

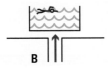

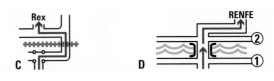

b Da las instrucciones. ¿Por dónde se va al colegio?

c A turnos con tu compañero/a pregunta y contesta. ¿Qué buscas? ¿Dónde está?

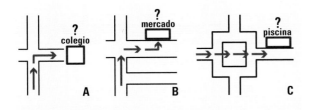

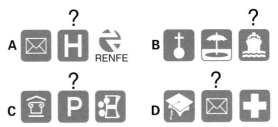

2 ¿Por o para?

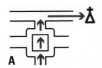 **a** Escucha. Escoge el dibujo adecuado.

b Escribe la forma adecuada de **por** o **para**.
1 Vamos de vacaciones (por / para) una semana.
2 Vamos a viajar (por / para) todo el país.
3 Voy a llamarles (por / para) teléfono en seguida.
4 Compré este regalo (por / para) mi madre.
5 ¿Cuánto ganas (por / para) hora en tu empleo?

3 El pasado y siempre el pasado

a Lee el pasaje y apunta los verbos subrayados. Busca y escribe la forma del infinitivo y lo que significa. Luego clasifícalos.
Ejemplo: hicimos → hacer = *to do* – pretérito irregular (primera persona plural)

b A turnos con tu compañero/a pregunta y contesta. ¿A qué hora …?
Ejemplo:
A ¿A qué hora te levantaste ayer?
B Me levanté a las siete.

Me levanté temprano y me puse en camino enseguida. Un día perfecto para caminar, pensé; y así fue. A eso de las nueve comí un buen desayuno en una posada y subí hasta los picos antes del mediodía. Pude ver hasta el mar desde allí arriba. Tuve que bajar casi enseguida para llegar a mi albergue antes del anochecer.

Comer el desayuno.   Beber un café.
Coger el autobús.   Llegar al colegio.
Jugar con sus amigos
Estudiar.   Regresar a casa.

13 Gastos

1 En el banco

 a Escucha y lee el diálogo.

– Buenos días. Necesito cambiar unos
  cheques de viaje.
– ¿Cuánto quiere usted?
– Quisiera 50 libras esterlinas por favor.
– Rellene el formulario por favor. Ponga la
  cantidad aquí y firme allí.
– ¿Así es cómo dice?
– Vale – ahora vaya a la caja de cambio.
– Cámbieme este cheque por favor.
– Su pasaporte o tarjeta de identidad.
– Tenga.
– Aquí tiene su dinero.
– Gracias.
– Cuente los billetes. Es mejor revisar todo.

b Empareja para hacer una frase adecuada.
Hay varias posibilidades.

1	Rellene	**A**	la cantidad aquí
2	Ponga	**B**	la fecha
3	Cámbieme	**C**	aquí por favor
4	Firme	**D**	su pasaporte por favor
5	Vaya	**E**	este formulario
6	Escriba	**F**	los billetes
7	Muéstreme	**G**	la cantidad
8	Tenga	**H**	este cheque por favor
9	Cuente	**I**	su carta de identidad
10	Revise	**J**	a la caja de cambio

2 Diálogo revuelto

a Clasifica cada frase según lo que dice el
empleado o tú.

¿Cómo quiere el dinero?   *Deme unos billetes
de a cien.*   *¿Firmo aquí?*

Escriba la fecha aquí.   *¿A cómo está la libra esterlina hoy?*   *Vale.*

¿Hay comisión?

Buenos días, ¿le puedo ayudar?   *¿Tiene su pasaporte?*

Hay comisión.   *Quisiera cambiar dinero.*

Gracias.

b Crea un diálogo de estas frases con tu
compañero/a.

---

oJo

tú	usted
firm**a**	firm**e**
escrib**e**	escrib**a**
ten	teng**a**

3 Pedidos

 Escucha. Empareja los pedidos con las
cantidades.

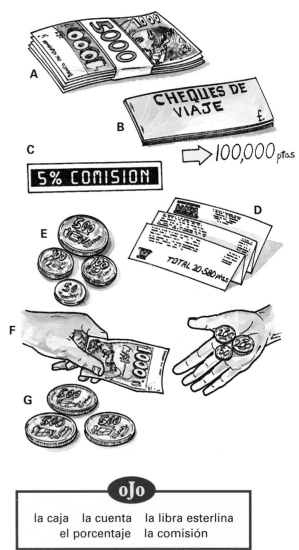

oJo

la caja   la cuenta   la libra esterlina
el porcentaje   la comisión

4 Cambio

 Lee.

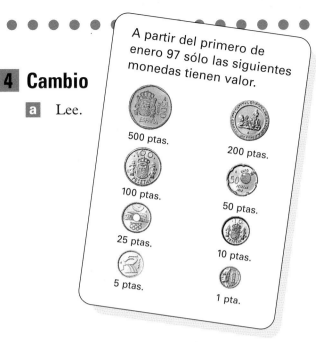

A partir del primero de enero 97 sólo las siguientes monedas tienen valor.

500 ptas.

200 ptas.

100 ptas.

50 ptas.

25 ptas.

10 ptas.

5 ptas.

1 pta.

b ¿Qué son estas palabras claves?

canbo   sadomen   tacune
shuqece   telsileb

5 ¿Me puede ayudar?

A turnos con tu compañero/a practica el diálogo.

– ¿Me puede ayudar?
– ¿Qué te pasa?
– He perdido mi dinero.
– ¡Ay lo siento! ¿Fue en efectivo?
– No, tenía cheques de viaje.
– Lo mejor es ir al banco enseguida.
– El banco está cerrado.
– Entonces vete rápido a la comisaría.
– Menos mal que anoté todos los números de los cheques.
– Muy bien hecho – así será más fácil ayudarte.

CONSEJOS AL VIAJERO

Usted y su dinero de vacaciones
- Tenga en cuenta las horas de apertura de los bancos: lunes a viernes 9 – 14 h, sábados 9 – 13.
- Anote los números de sus cheques de viaje.
- Revise la cantidad después de cambiar dinero.
- En caso de pérdida vaya al banco más cercano.
  Vaya a la comisaría a denunciarlo si es un robo.
- Guarde su pasaporte, sus cheques de viaje, dinero y demás cosas de valor en un lugar seguro – una caja fuerte si es posible.

c Y estas frases – ponlas en orden inteligible.

1 dinero lugar su guarde en seguro
2 viaje números de anote sus de los cheques
3 ocho sólo a partir del tienen enero monedas valor primero de
4 bancos cuenta de los tenga abertura en horas de las

6 El servicio no funciona

 a Escucha y lee.

b Explica a tu compañero/a cómo se hace.
Ejemplo: Primero hay que …

CAJA AUTOMÁTICA
ESTIMADO CLIENTE

Introduzca su tarjeta.

Anote su clave.

Seleccione la transacción que requiere – cuenta corriente / de ahorro / rapida.

Marque el número de la cantidad deseada.

Hunda el botón de acuerdo con la denominación deseada.

Revise bien la cantidad recibida.

Recoja su tarjeta y recibo.

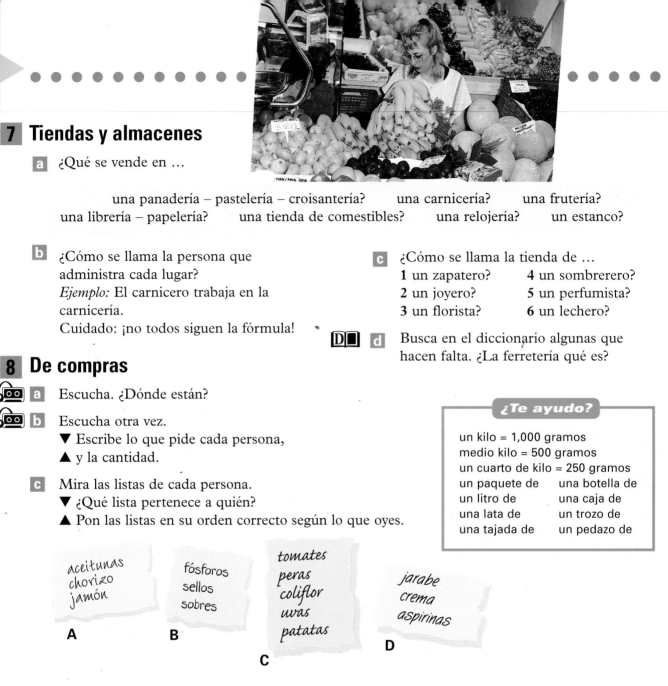

7 Tiendas y almacenes

a ¿Qué se vende en …

una panadería – pastelería – croisantería?   una carnicería?   una frutería?

una librería – papelería?   una tienda de comestibles?   una relojería?   un estanco?

b ¿Cómo se llama la persona que administra cada lugar?
Ejemplo: El carnicero trabaja en la carnicería.
Cuidado: ¡no todos siguen la fórmula!

c ¿Cómo se llama la tienda de …
1 un zapatero?   4 un sombrerero?
2 un joyero?   5 un perfumista?
3 un florista?   6 un lechero?

d Busca en el diccionario algunas que hacen falta. ¿La ferretería qué es?

8 De compras

a Escucha. ¿Dónde están?

b Escucha otra vez.
▼ Escribe lo que pide cada persona,
▲ y la cantidad.

c Mira las listas de cada persona.
▼ ¿Qué lista pertenece a quién?
▲ Pon las listas en su orden correcto según lo que oyes.

> **¿Te ayudo?**
>
> un kilo = 1,000 gramos
> medio kilo = 500 gramos
> un cuarto de kilo = 250 gramos
> un paquete de   una botella de
> un litro de   una caja de
> una lata de   un trozo de
> una tajada de   un pedazo de

A
aceitunas
chorizo
jamón

B
fósforos
sellos
sobres

C
tomates
peras
coliflor
uvas
patatas

D
jarabe
crema
aspirinas

9 ¿Ganarías el premio de mejor comprador(a) del año?

Compara tus respuestas con las de tu compañero/a.
¿Cuál de las descripciones te va mejor?

- Comprador(a) por gusto: gozas y te gusta más si vas con un amigo/a.
- Comprador(a) práctico/a: escoges lo mejor y lo más barato.
- Comprador(a) sin ganas: lo odias. Prefieres que otros lo hagan por ti.

1 Cuando sales de compras …
a sabes exactamente lo que quieres
b sólo quieres mirar
c miras con cuidado y regresas más tarde

2 Piensas primero en …
a la calidad
b la marca
c el precio

3 Generalmente vas …
a con un(a) amigo/a
b con tus padres
c a solas

4 Prefieres comprar
a en la tienda de la esquina
b en los grandes almacenes
c donde sea con tal de que sea barato

5 Generalmente vas de compras por
a comida y trago
b ropa y zapatos
c discos y revistas

Farmacia El Saludable

Mierc cerrado 14h en adelante.
Urgencias vayan a la Cruz Roja

C

D

10 ¿A qué hora se abre y cierra?

Mira las señas y busca el informe adecuado.

1 Son las horas de apertura.
2 Se cierra los miércoles por la tarde.
3 Se abre en la mañana solamente.
4 Está cerrado los sábados.
5 Cerrado por vacaciones anuales.

Unió de Botiguers de Sitges
HORARI COMERCIAL

M A T I   T A R D A

CAIXA DE **BARCELONA**

A

Modistería Bellamoda

abierto para clientes
mañana de 10h – 13h

B

ZAPATERÍA
BUENACALZA

sentimos la molestia – cerrado
durante el mes de agosto

FLORES
FANTASÍA
TROPICAL

FAVOR DIRIGIRSE
AL MERCADO
DÍA SÁBADO

E

11 En el rastro

a Escribe. Usa tu diccionario si no sabes todas las palabras.

1

2

3

4

TURRÓN DURO

b Escucha y comprueba tus listas con las que oyes.

c Escucha y lee el diálogo.

– Hay que comprar regalos.
– De acuerdo, ¿pero dónde? ¿El mercado o el supermercado?
– Aquí en el rastro hay cantidades. Es más divertido y a buen precio.
– De acuerdo.
– Estas cerámicas son bonitas.
– Sí pero se rompen fácilmente.
– Mira esos monederos de cuero.
– No creo – me parecen demasiado caros.
– ¿No te gustan aquellos toritos?
– Son de plástico y baratos – no.
– ¡Vaya qué difícil eres!
– Bueno pues voy a comprar este cenicero para papá; esa pulsera para mi hermano y aquellos aretes para mamá. ¿Satisfecha?
– Perfecto – voy a hacer lo mismo.

oJo

este	esta	estos	estas
aquel	aquella	aquellos	aquellas
ese	esa	esos	esas

d Inventa diálogos basando tus ideas en los dibujos de arriba.

14 Un vistazo gastronómico

1 Comer y rascar – todo es empezar

METAS ● comer ● pedir ● quejar

a Lee el informe turístico.

¿Qué se come?

- un plato combinado (carne o pescado con patatas fritas y verdura) a buen precio y suficiente — **F**
- el menú del día (entremés, plato fuerte y postre) a precio fijo, sin gran variedad — **G**
- el menú de degustación – las especialidades del restaurante – platos 'gourmet' — **H**
- **I**
- vegetariano – es mejor preguntar para estar seguro porque muchas ensaladas o tortillas tienen pedazos de carne o jamón — **J**
- niños – bienvenidos donde sea – pida una porción especial — **K**

Propina 5% a 10% depende de usted y su opinión de la calidad. — **L**

No olvide el IVA del 7%.

¿Dónde comer?

A Se come muy bien en cualquier lugar – en bares y restaurantes. Cuidado, hay muchos nombres distintos:

B Venta, Posada, Mesón, y Fonda son nombres antiguos para restaurantes típicos donde se puede comer a buen precio.

C Los Chiringuitos son quioscos de la playa. Los restaurantes se cierran un día a la semana por lo general.

D Se les aconseja llamar por anticipado para pedir una mesa.

¿Cómo vestirse?

E Tenga en cuenta el lugar, la hora y los otros clientes – rara vez se exige corbata y chaqueta excepto en la ciudad de noche.

 b Escucha. Unos turistas preguntan. ¿Qué quieren saber?
▼ Apunta la referencia A – L.
▲ Apunta la pregunta.

c Explica a tu compañero/a lo que quieren saber y da una respuesta adecuada.

2 Quiero una mesa

 a Escucha. ¿Qué mesa escogen? ¿Cuál rechazan?

b A turnos con tu compañero/a inventa y practica otros diálogos siendo clientes y camarero. Graba una casete en español.

¿Te ayudo?

¿Hay una mesa ...?
para ... personas
da a la terraza
en el rincón
adentro / afuera
cerca de / lejos de
al lado de
en pleno centro

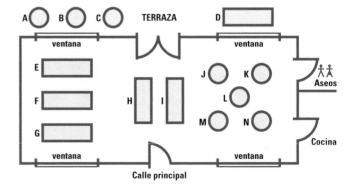

3 Pedir

 a Mira el menú. ¿Cuántos platos conoces o reconoces ya? Los nombres que no conoces trata de adivinarlos. Después búscalos en tu diccionario.

Restaurante La Barraca

Especialidad de la casa: Paella valenciana (2 pers min)

Entremeses
Ensalada mixta
Cóctel de gambas
Tortilla

Sopas
Gazpacho andaluz
Sopa casera

Verduras y legumbres
Espinacas
Judías verdes
Menestra de verduras
Guisantes
Patatas bravas

Postres
Flan de caramelo
Helados y sorbetes
Fruta fresca de la época
Natillas
Crema Catalana
Tártara abuela

Plato de queso sobre demanda

– Camarero, la carta por favor.
– En seguida voy.
– Qué recomienda?
– Para comenzar el cóctel de gambas o el gazpacho andaluz son muy buenos.
– Pues yo quiero el gazpacho.
– ¿A ti qué te traen?
– A mí me trae ensalada mixta. No puedo comer mariscos. ¿Y después qué hay?
– Hay carnes, aves o pescado y mariscos.
– Para él le trae un cordero al horno, y a ella le trae un pollo al ajillo.
– ¿Y con esto?
– Una menestra de verduras para los tres, y patatas bravas.
– ¿Qué van a tomar?
– Un vino tinto de la casa por favor.
– ¿Y de postre?
– Dos natillas y una crema catalana.

– ¡Que aproveche!

– La cuenta por favor.
– Gracias señora. El servicio está incluído.

Carnes
Chuleta de ternera
Cordero al horno
Bistec a la plancha

Aves
Pollo al ajillo
Codorniz

Pescado y mariscos
Bacalao
Calamares en su tinta
Trucha con almendras
Sardinas

Bebidas
Agua mineral con / sin gas
Zumo de frutas
Vino blanco Penedés
Vino tinto de la Rioja
Cerveza
Cava

Servicio incluído

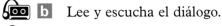 **b** Lee y escucha el diálogo.

c Escucha y anota lo que se pide.

d Practica con tu compañero/a pidiendo platos del menú.

oJo
para mí / ti / él / ella / nosotros / vosotros / ellos / ellas

4 ¡Que aproveche!

a Lee y clasifica.
Platos típicos de América Latina y España.
¿De qué país? ¿De qué región?

b 'Noche hispanoamericana'.
¿Qué platos vais incluír y por qué?

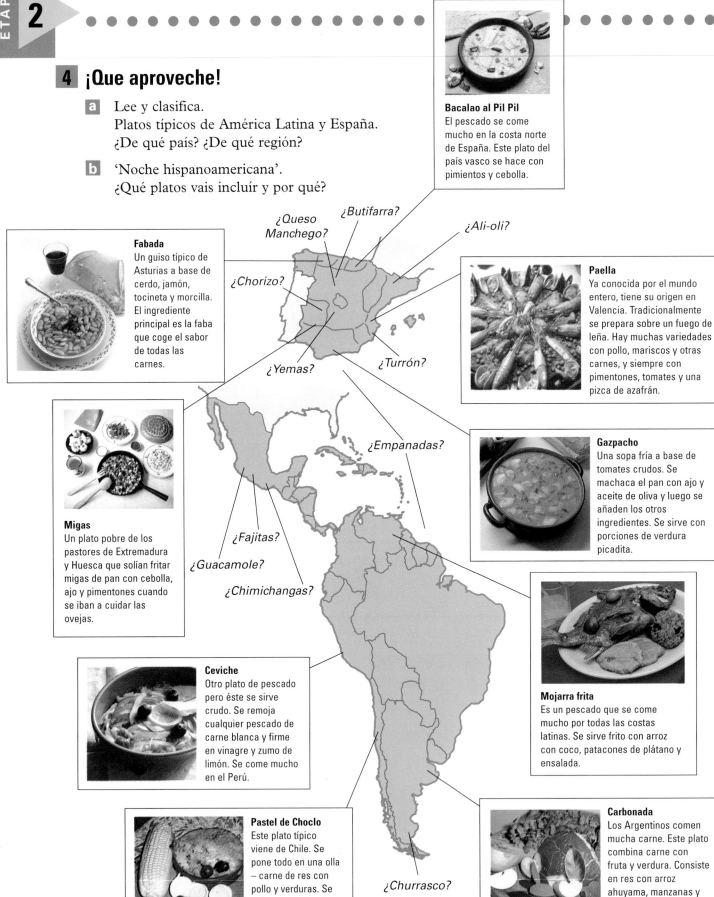

Bacalao al Pil Pil
El pescado se come mucho en la costa norte de España. Este plato del país vasco se hace con pimientos y cebolla.

¿Butifarra?

¿Queso Manchego?

¿Ali-oli?

Fabada
Un guiso típico de Asturias a base de cerdo, jamón, tocineta y morcilla. El ingrediente principal es la faba que coge el sabor de todas las carnes.

¿Chorizo?

Paella
Ya conocida por el mundo entero, tiene su origen en Valencia. Tradicionalmente se prepara sobre un fuego de leña. Hay muchas variedades con pollo, mariscos y otras carnes, y siempre con pimentones, tomates y una pizca de azafrán.

¿Yemas?

¿Turrón?

Migas
Un plato pobre de los pastores de Extremadura y Huesca que solían fritar migas de pan con cebolla, ajo y pimentones cuando se iban a cuidar las ovejas.

¿Empanadas?

Gazpacho
Una sopa fría a base de tomates crudos. Se machaca el pan con ajo y aceite de oliva y luego se añaden los otros ingredientes. Se sirve con porciones de verdura picadita.

¿Fajitas?

¿Guacamole?

¿Chimichangas?

Ceviche
Otro plato de pescado pero éste se sirve crudo. Se remoja cualquier pescado de carne blanca y firme en vinagre y zumo de limón. Se come mucho en el Perú.

Mojarra frita
Es un pescado que se come mucho por todas las costas latinas. Se sirve frito con arroz con coco, patacones de plátano y ensalada.

Pastel de Choclo
Este plato típico viene de Chile. Se pone todo en una olla – carne de res con pollo y verduras. Se cubre con masa de maíz.

¿Churrasco?

Carbonada
Los Argentinos comen mucha carne. Este plato combina carne con fruta y verdura. Consiste en res con arroz ahuyama, manzanas y melocotones – todo junto en la olla.

5 El restaurante más loco del mundo

Le voy a contar la historia del restaurante más loco del mundo.

Allí trabajan los camareros más distraídos y torpes que he visto en mi vida.

Escuche lo que me pasó un día cuando fui a comer allá con toda mi familia.

Desde el principio debía haberme dado cuenta que las cosas no iban a ir bien.

Entramos y nos dieron una mesa que no habíamos pedido, ¡en la terraza cuando hacía un frío terrible!

Para empezar y calentarnos pedimos un buen vino de la casa. ¡Madre mía qué vino más agrio! Naturalmente mi padre protestó y tardaron mucho en traer otro que por lo menos era bebible.

Luego mirando la mesa vi que hacía falta una cuchara y dos tenedores.

Además me di cuenta de que el mantel estaba muy sucio.

"Camarero hágame el favor de cambiar este mantel" le dije y me contestó con una sonrisa grande. "Se lo cambiaré después de comer."

Algo confusos decidimos pedir el menú.

Ni se diga - ¡fue un catálogo de desastres!

A mi madre le trajo un pescado grande cuando había pedido unas chuletas de cordero.

A mi hermano le trajeron dos postres que claro comió con gusto pero solamente habíamos pedido uno.

El pollo mío estaba demasiado crudo y no quisieron cambiármelo.

Por el contrario el bistec de mi abuelo estaba tan hecho que parecía una suela gastada.

Y para colmo las patatas estaban tan saladas que nadie las pudo comer.

Va sin decir que la comida fue un desastre y para rematarla nos trajeron café y la mitad lo derramaron por la mesa.

Mi padre no quiso pagar la cuenta y pidió el libro de reclamaciones.

---

a Inventa el diálogo que se supone tuvo lugar en el restaurante. Basa tus ideas en el cuento que acabas de leer.

¿Te ayudo?

| Este plato / mantel / pollo / vino | está | sucio / crudo / agrio. |
| Esta copita / mesa / chuleta | | rota / equivocada / quemada. |

| Haga el favor de cambiármelo. | Se lo traigo limpio en seguida. |
| Tráigame uno limpio por favor. | Voy a cambiárselo en seguida. |

oJo

a mí me falta
a ti te falta
a él / ella le falta
a nosotros nos falta
a vosotros os falta
a ellos / ellas les falta

b Rellena el libro de reclamaciones de parte de la familia desgraciada del cuento.

LIBRO DE RECLAMACIONES

1. camareros torpes
2. mesa equivocada

15 Nos entretenemos ● ● ● ● ● ● ● ● ● ● ● ● ● ● ● ● ● ●

Cartelera semanal de actividades en tu región

Playa

Museos
Romántico – Arte moderno
martes 10 h–13 h
entrada libre
concesiones estud. 3ª edad

Sala Rosada
Teatro internacional infantil –
tarde
Concierto de verano – noche

Sardanas – Pl. de España
sab. 18 h–19:30 h

Polideportivo – toda clase de
actividades – demostración de
baloncesto – tarde mie. jue.

Concurso de pintura
Paseo de la Ribera 18 h →

Parque acuático – a 2km de la
RENFE – concesiones grupo
Tel (977) 687655

~~**Visita guiada** de las bodegas
vino Penedès~~ CERRADA

Conferencia **historia local** –
Biblioteca Ortega y Gasset –
20 h jueves

1 En la oficina de turismo

Escucha y lee.
- Buenos días señora, estamos
  planeando nuestra primera
  semana en la región.
- A la orden pues.
- ¿Tiene un folleto que nos
  indique lo que hay que hacer
  en la región?
- Aquí hay uno que es muy
  completo.
- ¿Indica las horas de cada
  cosa?
- Sí de la mayoría. ¿Queréis
  saber algo más?
- No creo. Muchas gracias por
  su ayuda.
- No hay de qué.

2 ¡A gozar!

a Clasifica las actividades.

Afuera	Adentro	Deportivo	Tranquilo	No posible

b ▼ Escoge para cada grupo una actividad.
  ▲ Indica por qué lo has escogido.

1 Una familia con tres niños muy activos de
   tres a 12 años.
2 Una pareja recién casada de luna de miel.
3 Un grupo de adultos de tercera edad.
4 Un grupo de jóvenes de un colegio británico
   haciendo intercambio.
5 Dos profesores de lenguas de vacaciones.

c Escucha el contestador automático.
Comprueba si es posible hacer las actividades
que has escogido o no.
Escoge otra actividad si es necesario.

d ▼ Explica a tu compañero/a lo que has escogido.
  ▲ Da tus razones.

3 ¿Qué escogió?

Lee. ¿Qué actividad se describe?

Para mí la música suena rara porque tiene instrumentos que no he oído antes. Tiene un ritmo muy definido y todos bailan en un círculo. No importa si eres joven o viejo. Llegas al círculo y pides permiso para bailar con ese grupo. Parece fácil si lo miras pero no es tan fácil cuando bailas.

1

Nos divertimos mucho mirando los cuadros diferentes de todo el mundo. Había unos dibujos a lápiz de la iglesia que nos gustaron mucho. Pero había otros muy feos de un estilo raro. Empezaron a las seis de la tarde durante toda la semana.

2

¡Dios mío, qué aburrido fue! Pensamos que íbamos a aprender mucho de la historia de la región. Al contrario el viejo no había preparado bien lo que quería decir y no tenía ilustraciones ni nada. Fue una noche perdida.

3

4 ¿Qué vamos a hacer?

a Lee las frases y ponlas en orden según el sentido de los dibujos.

Y por último todas vamos a acostarnos temprano.

Vamos a alquilar un pédalo.

¿Tú qué quieres hacer?

Primera cosa es un buen desayuno.

Bueno yo voy a nadar en la piscina.

Debemos descansar durante el primer día.

Esta noche vamos a comer algo ligero.

Voy a tumbarme en la playa.

No voy a almorzar.

Tengo la intención de pasar el día leyendo.

b Escucha. Anota lo que deciden hacer hoy, mañana y pasado mañana.

5 A ti te toca

Escribe. Mira los anuncios y planea una agenda tuya para unos días divertidos.
- hoy
- mañana
- pasado mañana
- los otros días

oJo

visit**ar** – visitar**é**
com**er** – comer**é**
escrib**ir** – escribir**é**

6 ¿Me puede decir si …?

a Practica este diálogo con tu compañero/a.

– Hola – me gustaría ir hoy en esta excursión pero me da miedo hablar por teléfono.
– Entonces lo haré por ti si quieres.
– Ay muchas gracias.
…
– Lo siento – no sale hoy sino mañana.
– Vale. Iré mañana.
– En este caso te pediré reserva.
– Muchas gracias.
– No hay de qué.

b Tú ayudas a una familia que no habla el idioma.

– Oiga. ¿Es el parque acuático por favor?
– Sí, dígame.
– Hay una familia inglesa que quiere pasar un día en el parque.
– Bueno hoy estamos abierto hasta las seis solamente pero mañana está hasta las ocho.
– Entonces irán mañana. ¿Tienen concesiones para niños pequeños?
– ¡Cómo no! – para niños menores de 12 años.
– ¿Y para familias?
– Lo siento, sólo tenemos para grupos de diez para arriba.
– ¿Se puede pagar con tarjeta de crédito?
– Sí señorita, con carta Visa.

c ▼ Deja un recado para decir al grupo lo que vas a hacer.
'¿Querréis venir conmigo?'
▲ Escribe unas frases sobre tu día.

● ¿Adónde irás?
● ¿A qué hora saldrás?
● ¿Qué harás?

oJo
iré
tendré
haré

EXCURSIÓN AL MONASTERIO
VISITA GUIADA
AUTOCAR 9 H
PASEO MARÍTIMO

PARQUE ACUÁTICO
¡Ven a vivir la aventura de tu vida!

Horario de verano de 10 h a 20 h
del 21 de junio al 14 de septiembre
Un día: 4.000 pts adultos 13 – 59 años;
3.100 pts niños menos
de 12 años y mayores de 60

Precios y horarios susceptibles a cambio
Restricciones de altura en algunas atracciones
Prohibida entrar comida y bebida en el Parque
Tel (902) 20–30–40

Plaza de Toros
MONUMENTAL DOMINGO

LAS MÁXIMAS FIGURAS
DEL TOREO A CABALLO

Autocares de lujo:
sale de la Plaza de España a las 14:30

Exhibición de caballos
CENA
ESPECTÁCULO
MEDÍEVAL

Luchas torneos y justas
Ballet flamenco
Algo para toda la familia
Autocar sale a las 19 h, Plaza Mayor

7 ¡El último día!

 Escucha y anota. ¿Adónde fueron?
¿Qué hicieron? ¿Qué opinaron?

8 ¿Qué queréis hacer?

Es el último día. Discute con tu compañero/a
lo que vais a hacer.

Grupo A: playa – tostarse – grupo – disco – avión a la una de la madrugada

Grupo B: ciudad – tren local – museos de arte – restaurante – pasear

Grupo C: ciudad – coche alquilado – tiendas – bar – tapas – regresar tarde

9 Cuéntame ¿cómo les fue?

a Lee el cuento del día que pasó el grupo A.

Todos se levantaron tarde a causa de la fiesta de despedida de anoche. A eso de las diez y media desayunaron poco y se fueron enseguida a la playa porque era su último día y querían asolearse antes de regresar a casa.

Tenían unos buenos amigos en el grupo y tenían la intención de escribirse durante el año. Jugaron a la petanca y se divirtieron mucho hablando, bromeando y contando chistes. Luego cuando hacía menos calor alquilaron esquís y una lanchita y tomaron turnos practicando el esquí acuático. Al atardecer se fueron a un bar a comer tapas y tomar la última copita juntos. Luego se pusieron a bailar. Hacía una noche calurosa y apenas estaba saliendo la luna nueva. De repente se dieron cuenta de que les quedaba media hora para regresar al hotel, empacar sus maletas y alistarse para el viaje de regreso.

El avión estaba por salir a la una de la madrugada.

b ▼ Lee el cuento otra vez. ¿Qué significan las palabras y frases subrayadas?

c ▲ Completa las frases siguientes. Basa tus respuestas en el cuento.
1 Tenían fiesta la noche ....
2 No comieron .... en el desayuno.
3 Les quedaba un .... solamente.
4 Al día siguiente ya estarían en su ....
5 Para divertirse .... , ... , ...
6 Luego por la .... se fueron a un bar.
7 Pasaron el tiempo .... allí.
8 En el hotel tenían que ....

d Escribe en tus propias palabras el cuento de lo que pasó con el grupo B o C.
▼ Escribe no más de 60 palabras. Usa las frases que acabas de averiguar.
▲ Escribe no más de 100 palabras.

16 ¡Ayúdenme!

1 ¿Qué me pongo?

a Mira la ropa. ¿Cuántas palabras conoces ya?

b Escucha y verifica.

c Clasifica cada uno.

● para viajar
● para salir de noche
● para deporte
● a diario

d Escucha. ¿Quién va a llevar qué?

oJo

mío/a   tuyo/a   suyo/a   nuestro/a   vuestro/a

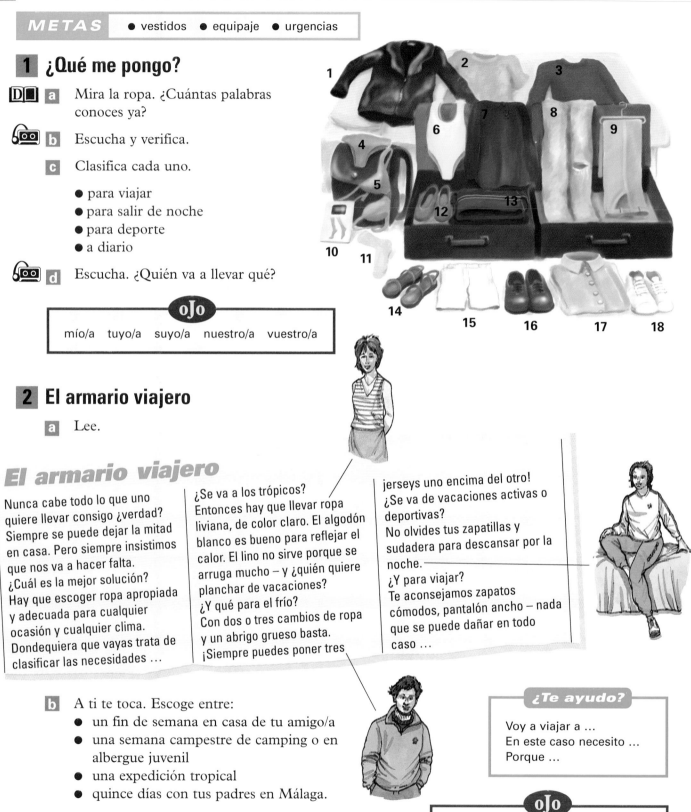

2 El armario viajero

a Lee.

El armario viajero

Nunca cabe todo lo que uno quiere llevar consigo ¿verdad? Siempre se puede dejar la mitad en casa. Pero siempre insistimos que nos va a hacer falta. ¿Cuál es la mejor solución? Hay que escoger ropa apropiada y adecuada para cualquier ocasión y cualquier clima. Dondequiera que vayas trata de clasificar las necesidades …

¿Se va a los trópicos? Entonces hay que llevar ropa liviana, de color claro. El algodón blanco es bueno para reflejar el calor. El lino no sirve porque se arruga mucho – y ¿quién quiere planchar de vacaciones? ¿Y qué para el frío? Con dos o tres cambios de ropa y un abrigo grueso basta. ¡Siempre puedes poner tres

jerseys uno encima del otro! ¿Se va de vacaciones activas o deportivas? No olvides tus zapatillas y sudadera para descansar por la noche. ¿Y para viajar? Te aconsejamos zapatos cómodos, pantalón ancho – nada que se puede dañar en todo caso …

b A ti te toca. Escoge entre:
● un fin de semana en casa de tu amigo/a
● una semana campestre de camping o en albergue juvenil
● una expedición tropical
● quince días con tus padres en Málaga.

▼ Haz una lista de ropa que vas a llevar contigo.
▲ Escribe por qué has escogido cada cosa.

¿Te ayudo?

Voy a viajar a …
En este caso necesito …
Porque …

oJo

de seda / algodón / lana / cuero / lino
en negro / blanco

3 ¿Qué más necesito? ¡No olvides!

a Mira los dibujos. ¿Qué frases ilustran?
1 Necesito llevar mi cámara para tomar fotos.
2 Voy a llevar un diccionario porque será útil para buscar las palabras que no conozco.
3 Me hace falta un costurero por si acaso se me rompe el pantalón.
4 No olvides tu paraguas. Podría ser útil si hay un chapuzón.
5 ¿Por qué no llevas un bolígrafo? Tal vez sea útil si quieres escribirme una tarjeta.

b Escribe la frase en un orden lógico.
1 voy a toalla porque llevar seguramente un nadaré
2 paraguas acaso lluvia un necesito si hay por
3 olvidar que no hay pasaporte el
4 sol gafas mucho haya cuando las útiles de serán resplandor
5 cámara una necesito para película la

c Inventa unas frases así para tu compañero/a siguiendo los ejemplos de arriba.

4 ¿Qué han olvidado?

 Escucha y anota lo que hace falta.

1
bolígrafo
monedero
gafas de sol
cámara
pasaporte
costurero
paraguas

2
pañuelo
película
lentes
cheques de viaje
linterna a mano
libro de frases
diccionario

3
billetes
reloj
gafas de sol
toalla
juguete vídeo
pilas
monedero

4
cartera
impermeable
reloj
libro
pasaporte
billete
cheques de viaje

5 El botiquín de emergencia

a Mira las siluetas y adivina lo que representan.

esparadrapo   loción   vendas
bastoncillo de algodón   pastillas
jarabe   crema   costurero
película   cámara

 b Escucha y verifica tu lista.

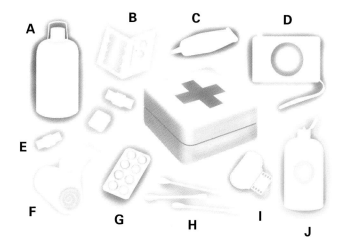

6 ¡Socorro!

a Lee los informes.

SERVICIOS DE URGENCIAS

Policía Nacional – Tel: 091 (país entero)
Sólo la policía nacional tiene número de teléfono a nivel nacional.
Encontrarán los números de otros servicios locales en la guía telefónica.

Bomberos
080 Madrid – Barcelona – Sevilla

Ambulancia o Cruz Roja
522 22 22 Madrid
300 20 20 Barcelona
435 01 35 Sevilla
Para servicios de urgencia fuera de estas ciudades consulten la guía telefónica local.

En caso de perder su pasaporte, llame enseguida al consulado. Si necesita ayuda legal o intérprete – consulte las Páginas Amarillas para el colegio de Abogados, Traductores oficiales o jurados, ambos sirven para documentación legal.
Robo o pérdida – recuerde que muchos seguros le dan no más de 24 horas para denunciar un robo. Vaya en seguida a pedir una denuncia oficial de la policía.
¡Cuidado con los piropos!
¡No haga caso – son inofensivos!

b Pregunta a tu compañero/a:
¿Qué harías en caso de …?
Ejemplo:
A ¿Qué harías en caso de tener un incendio en la cocina?
B Llamaría a los bomberos.

1 perder tu pasaporte
2 tener un accidente de carretera cerca de Madrid
3 ver un incendio en el bosque
4 cortarse el pie en la playa cerca de Barcelona
5 sufrir un robo de tu coche
6 ser testigo de un robo o incidente grave y no hablar bien el idioma

7 Farmacia

a Lee.

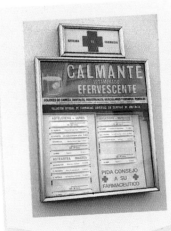

Si no es tan urgente la situación vaya a una farmacia. El farmacéutico muchas veces tiene calificaciones adecuadas para tratarle de sus síntomas o por lo menos aconsejarle lo que sería mejor hacer.
El E111 sirve para todos los ciudadanos europeos y les cubre la seguridad social del país visitado. El librito que lo acompaña le explicará exactamente cómo reclamar. El servicio del E111 está limitado así que es mejor sacar otro seguro médico por si acaso. No olvide de guardar todos los recibos para medicinas y medicamentos. Los necesitará como comprobante para el seguro al regresar a casa.

b Escucha.
¿Qué debes hacer?

¿Te ayudo?

Debo …   Tengo que …   Hay que …

Dicho
Más vale prevenir que lamentar

8 Cruz Roja

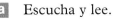

a Escucha y lee.

– ¿Cero noventa y uno?
– Dígame, policía nacional – Urgencias a la orden.
– Oiga señorita. Necesito una ambulancia inmediatamente.
– Un momento, le conecto enseguida.
– Buenas, ¿qué pasa?
– Es que hemos tenido un accidente de carretera terrible.
– ¿Dónde están?
– En las afueras de un pueblo subiendo a Andorra.
– El lugar exacto por favor – ¿carretera ...?
– La 152, creo que es.
– ¿Nombre del pueblo?
– Ripoll.
– ¿Cuántos heridos hay?
– Uno grave y dos menos serios.
– ¿Qué heridas tienen?
– Está sangrando de la cabeza y nosotros tenemos golpes y contusiones.
– No muevan al herido grave. En seguida va una ambulancia para allá.

b Haz otros diálogos basando tus ideas sobre la conversación arriba.

1 mi hermano: se ha cortado el pie y está sangrando mucho

2 dos amigos: caída grave – tobillo torcido, pierna rota

9 No hay mal que por bien no venga

Lee y contesta a las preguntas.

1 ¿Dónde se encuentra Leo?
2 ¿Por qué está allí?
3 ¿Qué le pasó (en detalle)?
4 ¿Por qué dice que tiene mucha suerte?
5 ¿En qué insistió su padre?

Queridos tíos - aquí me tenéis recuperando en una clínica moderna. Tuve un accidente de moto hace seis días. Al principio perdí conocimiento de todo lo que pasó pero ahora poco a poco estoy recordando los detalles. Me parece que hubo mucho sol y el resplandor del espejo me cegó momentáneamente y ¡cataplán! como que no vi un camión grande que venía hacia mí por el otro lado de la carretera. Dicen que tengo mucha suerte y el casco que llevaba me salvó de heridas graves en la cabeza. Desgraciadamente me duele todo el cuerpo y tengo el hombro derecho dislocado y la pierna izquierda ni se diga está rota en varias partes. Menos mal que papá insistió sobre un seguro. Espero veros pronto - un abrazo fuerte de vuestro sobrino Leo que os quiere mucho.

10 A ti te toca

Escribe un cuento de un accidente.

Ejemplos:
playa: agua mala / insolación – fuerte reacción – clínica
Acuasplash: caerse – torcer la espalda, golpear la cabeza y raspar el muslo – Cruz Roja

Extra 2B •

1 Vacaciones en España

 a Una familia inglesa llama por teléfono a la Oficina de Turismo en Sitges. Escucha este mensaje. Apunta las cosas que tienen que decir.

b Escucha el informe. Apunta la información dada (distancia, transporte, facilidades).

c Escucha e indica la reacción de la gente. ¿Qué escoge la familia Ibáñez al final?

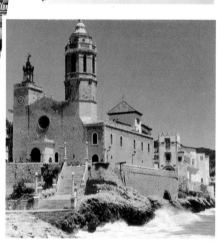

 d Escucha y anota la información necesaria.
- Precio de habitaciones
- Precio de desayuno por persona
- Precio de media pensión
- Confirmación de fechas de llegada y salida
- Confirmación de número de noches al hotel
- Otras facilidades

 e Escucha y contesta **sí** o **no** a las preguntas siguientes.
1 El restaurante abre a la una del día.
2 Se cierra los lunes en el invierno.
3 Hay platos vegetarianos.
4 Hay varias clases de arroz.
5 Está situado lejos del paseo marítimo.

2 Sitges, ayer y hoy

Sitges, Joya del Mediterráneo

A A unos 35 km de Barcelona, 20 minutos en tren del aéropuerto, con 300 días de sol al año y sus largas playas de arena fina, Sitges es sin duda uno de los pueblos privilegiados de la costa catalana.

B Durante la época romana Sitges, llamado en aquel entonces 'Subur' fue un puerto importante. En 1003, el primer año en que Sitges fue documentado ya era un pueblo amurallado y exportaba el vino local de la región del Penedés. Durante los siglos 18 y 19 gracias al comercio del vino y fábricas de calzado se creó una burguesía que apoyaba a las artes.

C Pero fue a partir de 1891 con la llegada del pintor, dramaturgo, bohemio Santiago Rusiñol (1861 –1931) que Sitges se convirtió en la Meca del Modernismo catalán. Reunió a su alrededor personalidades punteras de la cultura española como el compositor Enrique Granados, la novelista Emilia Pardo Bazán, el escritor Angel Ganivet, el poeta Joan Maragall, pintores como Miguel Utrillo y

muchos más que ayudaron a crear una aureola de ciudad artística y cultural.

D Gracias al artista local Josep Carbonell i Gener esta costumbre pervive y de allí ha nacido un verdadero calendario de certámenes culturales internacionales. Bajo su tutela durante la década de los años veinte los vanguardistas como Dalí y Lorca entre otros convirtieron a Sitges en un espacio de actividades culturales que sigue hoy en día siendo cuna de creatividad para artista y escritores. Sitges tiene un atractivo toque bohemio.

E La oferta turística es amplia y variada ofreciendo posibilidades ilimitadas para todos los gustos y bolsillos a cualquier hora del día o de la noche. Sus tres puertos deportivos (Port Ginesta, Garraf y Aiguadolç) y club náutico permiten toda clase de actividades acuáticas, náuticas y marinas – desde la pesca con caña al voleiplaya, pasando por la vela, el windsurf o el jetski. Hay oportunidades para tenis, squash, bowling, golf, equitación ...

F El turismo verde está al alcance con el Parque Natural del Garraf con 10.000 hectáreas de zona verde. Ofrece un contraste increíble con su macizo desde frondosa selva hasta rocosas colinas. Desde hace más de ochenta años Sitges acoge turistas de todo el mundo. Uno de sus principales atractivos es su silueta. Presidida por su iglesia parroquial con el mar y la playa a sus pies es una estampa bella e irrepetible. Se ha sabido conservar del deterioro y la destrucción del turismo moderno. Con más de 4.500 plazas hoteleras, la mitad de las cuales de cuatro estrellas, garantiza un buen servicio y calidad.

G Por tradición posee un arte culinario fundamentalmente marinero. El arroz a la sitgetana y el xató son dos monumentos gastronómicos de la tradición local. Éste preside a las fiestas de Carnaval por ser de pescado aliñado con una salsa donde se concentran todas las civilizaciones mediterráneas: almendras, ajo, aceite de oliva y ñoras. La Malvasía – vino de postre – derivado de la Edad Media de Grecia hoy en día se hace artesanalmente con 4.000 botellas cada año.

a Lee el folleto.

b ¿A qué párrafo resume?
Ejemplo: A = Introducción

Apogeo cultural   Ocio   Gastronomía
Historia antigua   Turismo activo   Renacimiento

c Lee la lista de deseos de la familia inglesa.
¿Le convendría ir a Sitges?
Indica **sí**, **no**, o **no se sabe**.
▲ Escribe y justifica tu respuesta.
1 Quieren estar a orillas del mar.
2 No les gusta el pescado.
3 Quieren visitar museos.
4 Prefieren un lugar histórico.
5 Quieren estar en el sur de España.
6 Les encantan los deportes acuáticos.

d Lee rápido los párrafos E y F. Escucha el contestador de la Oficina de Turismo. Anota las diferencias que encuentras.

e Busca cinco frases que describen la vida en Sitges ayer y cinco hoy.
▲ Haz un resumen del texto.

Oriéntate 2B ●

1 Estamos de visita y quisiéramos saber si ...

Tiene usted	un plano / un folleto	de la ciudad / del pueblo
Quiero	un mapa	del país / de la región
Busco / Necesito	una lista de	hoteles cámpings museos monumentos atracciones ferias espectáculos
Me gustaría tener	un horario de	los trenes / autocares / autobuses
Déme por favor	más información de	las excursiones

¿Cuánto es / vale / cuesta ...?
Es / son ... pesetas / Es gratis
¿Hay tarifa especial / reducida para ...?

2 A escoger y elegir

¿Cuál te gusta más? ¿**Este** libro, **ese** libro o **aquel** libro?

m sing.	f sing.	m pl.	f pl.
un	una	unos	unas
el	la	los	las

ADJETIVOS

este	esta	estos	estas
ese	esa	esos	esas
aquel	aquella	aquellos	aquellas

PRONOMBRES

m sing.	f sing.	m pl.	f pl.
lo	la	los	las
éste	ésta	éstos	éstas
ése	ésa	ésos	ésas
aquél	aquélla	aquéllos	aquéllas

aquel
ese
este

3 El futuro se forma así

é ás á emos éis án ◄────── se añade ──────►

estaré estarás estará
estaremos estaréis estarán

al final del infinitivo
estar comer subir

El condicional se forma así

ía ías ía íamos íais ían

estaría estarías estaría
estaríamos estaríais estarían

ojo

haber: habré habrás habrá
habremos habréis habrán

hacer → haré   salir → saldré
poder → podré   tener → tendré
poner → pondré   venir → vendré

ojo

haber: habría habrías habría
habríamos habríais habrían

hacer → haría   salir → saldría
poder → podría   tener → tendría
poner → pondría   venir → vendría

Taller 2B

1 Estamos de visita

 a Escucha. ¿Qué piden?

A BARCELONA B ⇄ HORARIO

C TARIFAS D † ◉ ?

E ☎ 🕐 ?

b A turnos con tu compañero/a pregunta y contesta. Usa los dibujos.
Ejemplo: Quiero un … / Necesito un …
¿Cuánto es?
Vale …

c Inventa un diálogo.

2 ¿Este, ese o aquel?

a Copia y escribe la forma adecuada para la palabra subrayada.

1 La maleta verde es grande.
(este / esta)
2 Los niños son muy traviesos.
(aquellos / aquellas)
3 Quiero un kilo de las peras.
(esos / esas)
4 Déme el abanico rojo por favor.
(aquella / aquel)
5 Lo siento pero no me gustan los tomates. (estas / estos)

b Copia y rellena los huecos con un pronombre adecuado.

1 Me gusta esta muñeca. Quiero ver … por favor.
2 Me encanta ese reloj. Puedo ver … por favor.
3 Estos compacts cuestan mucho. No puedo comprar …
4 Aquel disco está rayado. Puedo cambiar … por favor.
5 Me interesan mucho esas fotos. Me permite mirar … un momento por favor.

3 El futuro y el condicional

a Copia y escribe la forma adecuada del futuro.

1 En el año 2050 (haber) computadores en vez de profesores.
2 ¿Dentro de 30 años cuántos años (tener)?
3 El porvenir nos (traer) muchas sorpresas.
4 El año que viene (ir) con mi familia a España.
5 La semana entrante tú y yo (ser) mayores.

b Escribe tu agenda para la semana que viene.

lunes	cine
martes	clase de baile
miércoles	

c Utopía mía. Escribe unas frases sobre tu amigo/a / colegio / casa / día ideal.
Ejemplo: sería … tendría … estaría …

Investigación 2

Cartas hispanoamericanas

El escenario

Tu clase quiere hacer un intercambio de cartas con otro colegio en un país hispanoparlante. Puedes escoger un pueblo o ciudad en las islas Baleares o Canarias o en cualquier país sudamericano o de Centro América, o en España por supuesto. ¿Con cuál vas a cartearte? Hay que persuadir a los otros de cartearse con tu pueblo.

Tareas en grupos

1 Escoged un pueblo o una ciudad.

2 Decidid qué clase de información vais a necesitar.
   • folletos
   • libros
   • CD Rom

3 Haced una lista de las tareas.
   • sondeo
   • redacción
   • publicidad
   • cuestionario
   • entrevista
   • presentación
   • evaluación
Dividid las tareas. ¿Quién va a hacer qué?

4 Rebuscad los informes.
   • la situación geográfica – clima
   • dónde viven – casa – apartamento – cómo es
   • transporte – la forma de viajar más práctica y un horario
   • carácter del pueblo
   • qué hay que hacer para una persona joven
   • turismo – lista de hoteles, albergues, programa de fiestas
   • el barrio – facilidades para deporte, almacenes
Escribid cartas: una a la Oficina de Turismo explicando lo que necesitáis; otra al alcalde para presentar vuestras ideas.

5 Decidid la forma de presentar vuestras ideas a la clase (afiches, publicidad, folletos, casette promocional con cancioncilla de anuncio). ¿Cómo vais a persuadir a los otros que vuestra ciudad es la mejor y vale la pena cartearse con ella?

6 Evaluad lo que han hecho. ¿Salió bien? ¿Qué opináis?

Vámonos

METAS	● el viaje ● la aduana ● el encuentro

1 Por fin te vas

 a Escucha y lee la conversación telefónica.

– Dígame – casa de los Martínez.
– Aquí te habla (Robert / Mary).
– ¿Ya estás listo/a?
– Sí pero quería confirmar los detalles
  de mi viaje.
– ¿En qué línea viajas?
– Voy por (Iberia).
– ¿Cuál es el número de tu vuelo?
– Es el (IB 542).
– ¿A qué hora sale y a qué hora llega?
– Sale a las (dos y cuarto) y llega a las
  (cinco y treinta y cinco) hora española.
– Bueno (se lo diré a mi papá. No está
  en este momento).
– Hasta pronto.
– Hasta muy pronto.

Aquí tengo mi billete.
Voy a confirmar los detalles.

b Prepara otros diálogos con la
información de abajo.

No. de vuelo	BA 564	IB 378	V 159
Hora salida	18 h	14 h	00:30 h
Hora llegada	22 h	17:45 h	03:50 h

2 Urgente

a Lee el fax.

** - INFORME ACTIVIDAD - **FECHA miércoles 21 de mayo 1998 ** HORA 09:11

páginas 1/1

Para _____ Número _____

De _____

Imposible recogerte en el aeropuerto mañana. Papá estará en viaje de
negocios – ¿por qué no cambias el vuelo hasta otro día? Contéstame
urgente. PD Tal vez yo podría venir solo/a a la terminal para recogerte.
PPDD ¿Puedes traer whisky para mi papá?

b Escoge las frases correctas.

1 El fax viene de España.
2 Llega por la mañana.
3 No hay vuelo para mañana.
4 Toda la familia va al aeropuerto.
5 No hay que contestar.
6 El padre quiere cambiar su vuelo.
7 No esperan una respuesta.
8 Posiblemente se encuentren en la terminal.

3 ¿Qué hacer?

a Prepara un fax para mandar
a España.

● ¿Es posible o no es posible
  cambiar tu vuelo?
● Reconfirma:
  la hora de salida y llegada
  del vuelo.
  que venga solo/a a la
  terminal.
● Menciona el whisky para
  su papá.

b Inventa otro fax. Cámbialo
con tu compañero/a y
contesta su fax.

Recollida d'equipatges
Baggage claim
Recogida de equipajes

Sortida
Way out
Salida

4 Llegas a tu destino y recoges tu equipaje

BAGAJES EQUIPAJES
Señores viajeros – favor
ser vigilantes.
Vigilen sus efectos
personales a toda hora.

a ¿Qué dice el letrero? ¿Por qué crees que es importante?

b Escucha e identifica el equipaje. ¿Qué equipaje es tuyo?

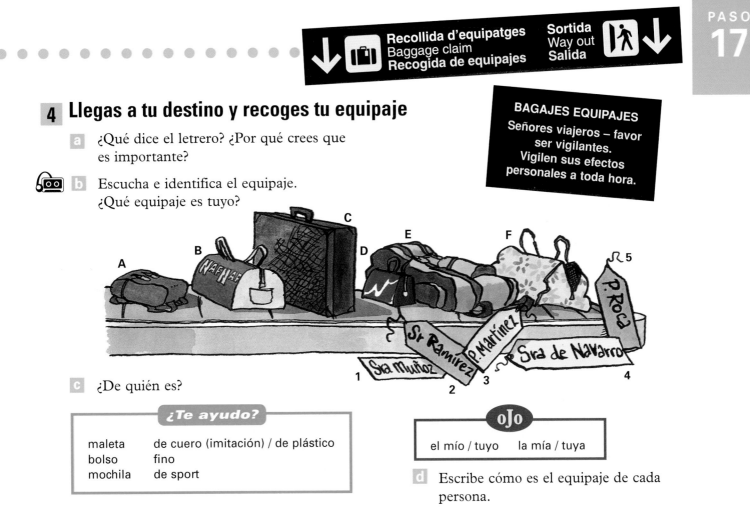

c ¿De quién es?

¿Te ayudo?

maleta	de cuero (imitación) / de plástico
bolso	fino
mochila	de sport

oJo

el mío / tuyo   la mía / tuya

d Escribe cómo es el equipaje de cada persona.

5 Un poco de imaginación

a Al pasar por la tienda del Duty Free miras a la vitrina para ver lo que hay. ¿Puedes comprar el whisky que te pidió tu amigo/a para su papá?

Venta de alcohol y tabaco prohibido a menores de 18

b Piensas en lo que vas a comprar de regreso. Escribe tu lista.
Chequea siempre si es permitido o no para una persona de tu edad.
Ejemplo:
Voy a comprar / Compraré unos chocolates belgas para mi mamá.

¿unos guantes de golf para ...?

¿una botella de jerez para ... ?

¿unas galletas escocesas para ...?

¿unas cajitas de té para ...?

¿puros habanos para ...?

¿un reloj de ratón mickey para ...?

¿perfume para ...?

¿una ..... de seda para ...?

6 El aduanero distraído

Practica este diálogo con tu compañero/a.

7 Transporte aeropuerto – ciudad

a Lee.

Servicio de transporte aeropuerto – ciudad

Transporte		Frecuencia	Salida ciudad	Salida aeropuerto	Tiempo aprox.
AEROBÚS	Aerobús	15 min	*05'30h – 22'15h **06'00h – 22'50h	*06'00h – 23'00h **06'30h – 22'50h	35/40 min
AUTOBÚS	Autobús	80 min	*07'00h – 20'20h **07'00h – 20'20h	*06'20h – 19'40h **06'20h – 19'40h	35/45 min
TREN	Tren	23 min	*05'43h – 22'13h **05'46h – 22'16h	*06'13h – 22'43h **06'11h – 22'41h	23 min

* lunes a viernes   ** sábados y festivos

Taxis amarillos tel: 485 21 21

Metro Horario: 05'00h – 23'00h lunes a viernes; sábados y festivos hasta 01'00h

b Estás en el aeropuerto. ¿Cuál escoger?
1 Son las dos de la tarde. Tienes cita en media hora en el centro de la ciudad.
2 No tienes mucho dinero pero quieres llegar rápido.
3 Vas a seguir tu viaje en tren a un destino lejano.
4 Necesitas un taxi. ¿Hay teléfono?
5 Y tú, ¿cuál vas a escoger? ¿Por qué?

8 ¡Ay Caramba!

a Si tu amigo/a no está, ¿qué harías?

oJo

esperar – esperaría
volver – volvería
escribir – escribiría

b Escribe unas cuantas frases para describir tus reacciones.
Ejemplo:
Primero lloraría y después …

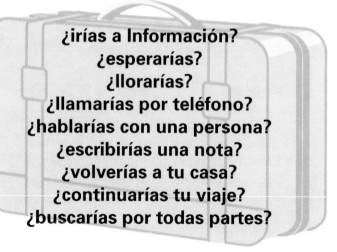

¿irías a Información?
¿esperarías?
¿llorarías?
¿llamarías por teléfono?
¿hablarías con una persona?
¿escribirías una nota?
¿volverías a tu casa?
¿continuarías tu viaje?
¿buscarías por todas partes?

9 Altavoz

a Escucha los anuncios. ¿Cuál es para ti?

b Escucha otra vez. Di cuál de los otros anuncios:
1 guía a unos viajeros.
2 indica a los viajeros acerca de su equipaje.
3 es para un grupo de banqueros.
4 indica donde se puede ir si se ha perdido algo.

10 ¡Os encontráis!

a Lee las recriminaciones y une las dos partes.

b Escribe la frase entera.
Ejemplo:
Dijiste que llevarías un suéter rojo pero llevas un suéter negro.

c Luego clasifícalas. ¿Cuáles son para ti y cuáles para tu amigo/a? Practica con tu compañero/a en forma de diálogo.

Dijiste que …

1 estarías al lado del quiosco 2 llegarías a las dos 3 llevarías un suéter rojo

4 vendrías con tu familia 6 sería fácil reconocerte

7 podría llegar sin problemas 5 no habría mucha gente

8 tendrías un letrero de bienvenido/a 9 cogerías un taxi

pero …

A llevas un suéter negro C hay una muchedumbre

B no tienes nada

D son las tres menos cuarto E no te he reconocido

G he llegado con tantos problemas

F estabas al lado de los teléfonos

H has venido solo/a

I parece que has venido a pie

11 ¡Taxi, taxi!

a Mira y lee. Pon las imágenes en un orden lógico 1–6.

b Practica el diálogo con tu compañero/a.

ojo
caber

¿Adónde quieren ir?

¿Cuánto vale?

¿Está libre?

¿Cuánto equipaje cabe?

La tarifa sube después de las 10.

Lo siento no cabe esta maleta tan grande.

METAS | ● saludar ● comparar casas ● ¿te hace falta algo?

1 Mucho gusto

a Encuentras a toda la familia.
Escucha e identifica la foto.

b ¿Y tú qué dices?

No quiero.
Muchas gracias por haberme invitado.
No me gusta la invitación.
Quiero volver a mi casa.

c A turnos con tu compañero/a presenta
a los otros miembros de la familia.

> Mucho gusto en conocerte.
>
> **B**

> Bienvenido a nuestra casa.
>
> **A**

> **C**

> Estás en tu casa.
>
> **D**

> Espero que encuentres
> todo a tu gusto.

oJo

¿tú o usted?

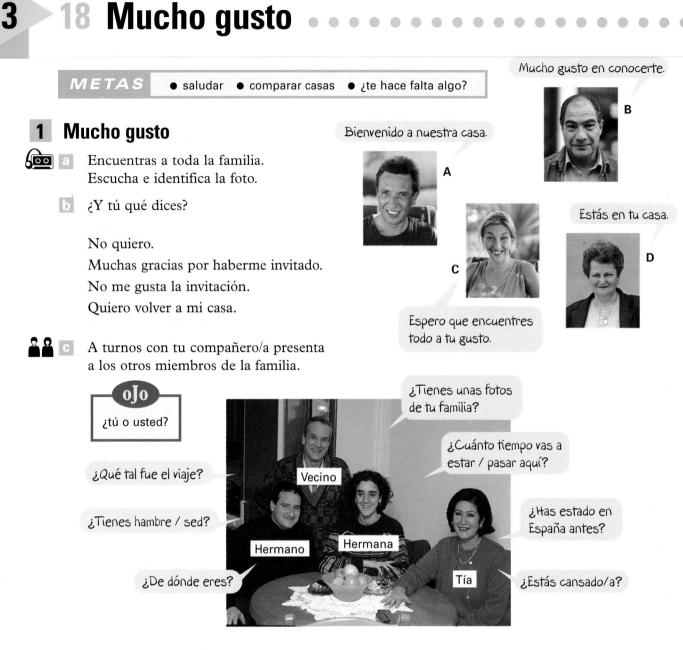

> ¿Tienes unas fotos
> de tu familia?

> ¿Cuánto tiempo vas a
> estar / pasar aquí?

> ¿Qué tal fue el viaje?

Vecino

> ¿Has estado en
> España antes?

> ¿Tienes hambre / sed?

Hermano Hermana

Tía

> ¿De dónde eres?

> ¿Estás cansado/a?

d Escucha. ¿Quién dice qué?

e ¿Y tú qué contestas?

Voy a pasar … semanas aquí.
Y no, no estoy cansado.
Sí, he traído fotos de mi familia, ¿las
quieren ver?
Soy de Inglaterra, de …
Gracias, no tengo hambre / sí tengo sed.
El viaje fue muy interesante y no muy
largo.
Sí / No he estado antes en España.

2 Regalos y obsequios

Escucha y lee.

– Aquí le traigo un recuerdo
de mi país. Es una jarrita.
– Muchas gracias.
– Es algo típico.

– Mis padres / mi madre
les manda(n) este regalo.
Se llama 'Mead'.
– ¡Qué amable!
– Ojalá les guste.

3 Te presento mi casa

JARDÍN TRASERO   TERRAZA   PATIO

LAVADERO

COCINA

BAÑO

ALCOBA DE ABUELOS   COMEDOR   SALA

VESTÍBULO   ENTRADA   GARAJE

PLANTA BAJA

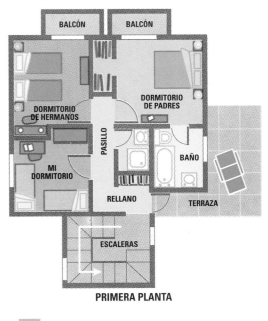

BALCÓN   BALCÓN

DORMITORIO DE HERMANOS

DORMITORIO DE PADRES

PASILLO

MI DORMITORIO

BAÑO

RELLANO   TERRAZA

ESCALERAS

PRIMERA PLANTA

a Escucha y sigue al guía. Anota el nombre del cuarto donde estás.

b Escucha otra vez.
   ▼ Anota los nombres de los muebles que menciona.
   ▲ Anota los detalles que incluye en el comentario.

¿Te ayudo?

sigue todo recto
al final del pasillo
arriba / abajo
delante / detrás
a la derecha / izquierda
para ir a …
hay que pasar por / subir / bajar

c A turnos con tu compañero/a juega.
   ▼ *Ejemplo:* **A** Estoy en la cocina.
              B Planta baja.
   ▲ *Ejemplo:* **A** Estoy entre la alcoba de mis abuelos
                  y el lavadero.
              B Estás en el baño.

d Contesta.
   ▼ ¿Qué se hace …
   ▲ ¿Qué podrías estar haciendo …
   1 en la cocina?   **4** en el garaje?
   2 en el patio?   **5** en la sala?
   3 en el dormitorio?

4 Abuelita recuerda …

a Lee.

Yo me acuerdo cuando de niña llegamos por primera vez a esta casa. En aquella época el patio era más grande y teníamos una huerta y gallinas. Siempre hacía más fresco y el zaguán estaba abierto y no teníamos garaje como hoy. Mi alcoba estaba arriba en el primer piso. Ahora con la vejez nos toca vivir abajo y nos han construído una pieza extra. Han convertido el viejo lavadero en nuestro baño con su retrete y jofaina nueva.

b Imagina los tiempos aquellos o pregunta a tus abuelos (o a cualquier persona de edad) cómo era su casa. Descríbela en no menos de 60 palabras.

5 Mi habitación / tu habitación

 a Mira la habitación A y haz una lista de todos los muebles y objetos.

La habitación mía

La habitación tuya

b Haz una comparación oral.

Ejemplo: La mía es más grande que la tuya.

▼ Después escribe cinco frases.

▲ Después escribe una descripción comparativa.

¿Te ayudo?

es	más	grande
	menos	pequeño/a
tiene ...		hay ...

6 A ti te toca

Pregunta a tu compañero/a acerca de su habitación.

Preguntas claves

¿Tienes una habitación grande o pequeña?

¿De qué color es?

¿Compartes con tus hermanos o es para ti sólo?

¿Qué muebles tienes?

¿Qué más tienes?

7 Un poco de imaginación

Describe el contenido y el tamaño de tu habitación ideal. Dibújala a mano libre.

8 ¿Qué te hace falta?

Inventa unas frases y las respuestas posibles uniendo las dos partes.

Me hace(n) falta — jabón.

pasta de dientes.

perchas.

No tengo — toalla.

Me he olvidado — el secador.

Te doy otro/a. — Te traigo uno/a.

Toma éste/a. — Te presto el mío / la mía.

La rosada en el baño es tuya.

9 ¿Quieres que ...?

Practica estas frases con tu compañero/a.

– ¿Estás cómodo/a o quieres que te traiga otra almohada?

– No gracias, con ésta basta.

– ¿Quieres que te despierte por la mañana?

– Sí, es buena idea – no tengo despertador.

– ¿Quieres que te preste el mío?

– Muchas gracias, eres muy amable.

10 Alejandro presenta las casas de Colombia

a Escucha a Dagoberto. Sigue las preguntas claves para guiarte. Anota lo que dice.
- situación
- ¿le gusta?
- tamaño
- otros detalles
- plantas

b Alejandro puso las preguntas claves a un amigo suyo. Lee su carta y anota sus respuestas.

Choza tropical

Medellín

Vivo en un apartamento nuevo. Es bastante amplio y cómodo. Como tenemos buen clima todo el año, casi no hay necesidad de aire acondicionado ni de calefacción central – sólo de vez en cuando. Vivimos en el sexto piso de un edificio que acaban de terminar. Somos los primeros inquilinos y lo estamos estrenando. Tiene balcones delante y desde allí tenemos una vista magnífica de la ciudad. Atrás hay calados en el cuarto de servicio y en el lavadero así que corre una brisa agradable. Es bastante típico de la vida moderna de una ciudad como la nuestra y tuya de Bogotá.

c Toma el papel de Alejandro y su amigo. Haz un diálogo usando las preguntas claves y las respuestas de la carta.

d Aquí hay unos apuntes sobre otro tipo de casa. Escucha y pon todo en orden.

Cartagena de Indias

Preguntas claves

¿Dónde se sitúa?
¿Qué tamaño es?
¿Cuántas plantas hay?
¿Cuándo fue construido/a?
¿Tiene jardín / patio / terraza?
¿Cómo es el estilo?

e ¿Te gustaría vivir así?
¿Tú qué opinas?

Casas sobre pilotes

tejas rojas   colonial   techo sobresale   color claro

dos pisos   tiene defectos   balcones de madera

mil novecientos treinta   pintado   patio encerrado

necesita reparaciones

19 Mis primeras impresiones

1 Mi casa / tu casa

a Tu amigo/a recibió esta cartica de un amigo suyo que estaba con una familia inglesa. Léela.

b ▼ Escoge la buena respuesta.
1 El amigo que escribe está en Inglaterra / España.
2 Está en un pueblo / una ciudad.
3 Va en bus / a pie al colegio.
4 Dice que la comida del colegio es deliciosa / horrible.
5 La abuela no le habla mucho / le habla mucho.
6 El hermanito es travieso / juicioso.

c ▲ Contesta a las preguntas.
1 ¿Cómo le parecen las casas de la región?
2 ¿A qué hora comienza a hacer día?
3 ¿Cómo pasó el primer día?
4 ¿Por qué le hace reír la abuela?
5 ¿Cómo le parece el hermanito? ¿Por qué dices eso?
6 ¿Por qué crees tú que dice 'ánimo'?

d ¿Cuáles son los aspectos positivos y cuáles son los negativos? Escribe dos listas.

e Ahora tú di qué opinas de la carta. ¿Te parece una impresión acertada? Explica por qué dices eso.

Hola

No vas a creer lo lindo que es esta región de Inglaterra. Aquí en este pueblo todas las casas son antiguas. Todo el mundo se levanta temprano a las seis y media – ya hace sol desde las cinco. ¡Imagínate! Te cuento que no hay bus escolar y tenemos que caminar al cole – ¡cosa inaudita! La comida de la cantina ni se diga es igual de mala e inapetitosa. ¿Parece universal verdad? El primer día no entendí ni jota de las clases pero ahora va mejor pero con las mismas clases de siempre de aburridas. Me hace reír la abuela que es muy curiosa y siempre está preguntándome sobre mi casa y mi familia. El hermanito como todos – molesta mucho. Tienen un perro adorable. Han habido momentos difíciles cuando añoro a los míos y mi casa pero falta poco para regresar así que ánimo y nos vemos muy pronto.
Un abrazo fuerte

2 En clase

Escucha a la profesora dictando a la clase. ¿Qué diferencias hay? ¿Qué similitudes?

Inglaterra	España

3 Mis apuntes

Vas a dar una presentación muy corta a la clase española sobre tus primeras impresiones. Aquí están tus notas:

Me levanto a las 7 30 – lo mismo que en mi casa.
Colegio es igual de aburr——
No tienen clases de Pshe ni assembly
Día muy largo
¡Recreo!
Comida diferente – muy tarde domingo
Abuelos viven en casa

▼ Prepara unas cinco frases.
▲ Escribe un discurso breve.

4 ¿Tomamos tapas?

Los vecinos te invitan a tomar tapas en la calle. ¡Es algo nuevo y distinto para ti!

a Lee.

> ¿Has comido tapas alguna vez antes?

> No creo. ¿Qué son tapas?

> Bueno pues es algo muy típico. A veces se llaman 'pinchos' también. Antes cuando se tomaba el jerez, el camarero cubría la copa con un platico para taparla contra las moscas. A veces ponía un pedacito de queso o unas aceitunas - ¡gratis! Hoy en día hay una variedad enorme: frío o caliente - toda clase de comida, ¡y hay que pagar!

> ¿A qué hora se come?

> A cualquier hora del día - cuándo quieras y cómo quieras.

b Mira el menú. ¿Cuántas palabras conoces ya?

c Practica estos diálogos.

1
- Quieres probar (las angulas)?
- ¿(Angulas) qué son en inglés?
- Son (baby eels). A ver si te gustan.
- Me parece (un poco salado).

2
- Pásale (las aceitunas rellenas).
- ¿Qué hay en la mitad?
- Algunas tienen (almendras y otros pimentón).
- Gracias pero no me gusta (el pimentón).

3
- ¿Me puedes pasar (los boquerones)?
- ¿A qué saben?
- (A vinagre dulce).
- Gracias, voy

LA COSTA DE VEJER
ESPECIALIDAD EN RACIONES DE

GAMBAS A LA PLANCHA	500
GAMBAS AL AJILLO	600
GAMBAS COCIDAS	500
LANGOSTINOS COCIDOS	1.000
LANGOSTINOS A LA PLANCHA	1.000
CALAMARES FRITOS	650
CHOCO FRITO	700
SEPIA A LA PLANCHA	700
CHAMPIÑÓN A LA PLANCHA	450
QUESO MANCHEGO	550
JAMÓN SERRANO	650
CHORIZO CANTIMPALO	450

PICADILLO CASERO	500
PATATAS BRAVAS	320
PINCHO MORUNO	240
ENSALADA PARA 1 PERSONA	400
ENSALADA PARA 2 PERSONAS	650

BOCADILLOS

PEPITO DE TERNERA	400
LOMO ADOBADO	350
CHORIZO CANTIMPALO	270
BEICON A LA PLANCHA	270
TORTILLA FRANCESA	270
CALAMARES FRITOS	370
ANCHOAS	300
QUESO MANCHEGO	370
JAMÓN SERRANO	370

5 ¡Qué aproveche!

Inventa unas tapas exóticas o típicas de tu país o región. Usa mucha imaginación.

6 Gracias

Escribe una nota a los vecinos, dándoles las gracias por una tarde tan amena.

> **¿Te ayudo?**
>
> Gracias por haberme invitado
> He comido ...
> Lo he pasado bien / a gusto / rico
> Todo me ha parecido ...

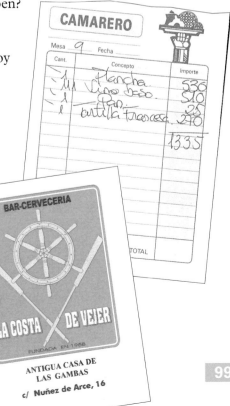

7 Nos reunimos

Guía de la semana

Atracciones
Kárting – Dtos. grupos y colegios a 2km N334 lunes a viernes 10 h – 18 h
Acuarium – temática mediterránea – 10 grandes acuarios y un oceanario dentro de un túnel transparente de 75 m. Un paseo al fondo del mar – apertura 9h 30 – 21 h 30.
Karaoke: Pza. Univ.
Ultimas novedades.

Bingo – abierto desde las 16h. Gran feria artesanal, mercado central.

Artes
Exposición – escultores de hoy – exhiben sus obras sobre el tema de muerte, tumbas y sepulcros. Gran Sala Alcaldía.
Juventud – artistas jóvenes de todo el país muestran su talento extraordinario.
Pabellón Real. Lun – Viern

Música
La reina de salsa Celia Cruz con el inolvidable maestro Tito Puentes – un sólo día. Viernes a las 19h 30 – Full programa de música latina ¡A no perder!
Poprock en el Rockódromo popular: tel 254 55 44 detalles.
Tres clásicos españoles – Granados Falla Albéniz – Teatro Zarzuela 12.15h, 20h, 22h.

Cine
Cine clásico – Sangre y Arena.
Cartelera de hoy vea abajo

Teatro
Teatro Español – Casa de Bernarda Alba – Lorca – 21h.
Historia de una Escalera – Buero Vallejo – Grupo juvenil – 20h.

Otro
Adelántate – cursos de verano – 4 días intensivo
● Centro de sonido e imagen – vídeo/tv/sonido/radio – reportero gráfico Tel: 264 – 72 –53 inscripciones
● Cámara de comercio e industria – centro de formación – seminario: la informática en la empresa. Info e inscrip Tel 429 31 96. Fechas 19 – 22. Horario 18h –22h diario
● Libro de la semana: El orígen del universo a nuestro alcance – Hawkin nos acerca al big bang y los agujeros negros

a Corrige las frases incorrectas.
1 Se puede hacer kárting en el centro de la ciudad.
2 Hay descuentos para grupos y colegios.
3 Se puede nadar en el acuario.
4 Un grupo de jóvenes está representando una obra de teatro.
5 El gran concierto de salsa dura una noche solamente.
6 Hay promoción del libro científico de un escritor inglés.

 b Pregunta a tu amigo/a español(a) qué prefiere hacer.

c Y tú, ¿qué prefieres hacer? Escoge un programa para el fin de semana.

8 La llamada telefónica

 a Escucha y lee.
– Oiga.
– Diga, soy yo, Margarita.
– Hola, ¿qué quieres?
– No sé – estoy aburrida.
– Bueno, ¿vamos a salir?
– ¿Adónde?
– Me gustaría ir a comer …
– Imposible. No tengo dinero.
– ¿Vamos a la piscina municipal? Es gratis hoy.
– No, no tengo muchas ganas.
– ¡Caramba qué difícil eres! ¿Te gustaría dar un paseo?
– ¡Sí, buena idea! Enseguida voy.

b Practica el diálogo con tu compañero/a. Inventa otras excusas.

El paseo español

¿Te ayudo?

No puedo – mis padres no me dejan.
No tengo permiso.
Tengo que lavarme el pelo.
Tengo que cuidar a mis hermanitos.
No me llama mucho la atención.

9 El tiempo será …

a Lee el pronóstico del tiempo.

b Contesta a las preguntas.
1 ¿Está haciendo frío o calor en este momento?
2 ¿Cómo lo sabes?
3 ¿Cuál es el riesgo con estas temperaturas?
4 ¿Ha habido lluvia recientemente?
5 ¿Habrá cambio de temperatura hoy?
6 ¿En la costa cuántos grados habrá?
7 ¿Cómo se sentirá el día?
8 Mañana, ¿por dónde habrá nubes y riesgo de lluvia?

c Mira tus planes para el fin de semana. ¿Vas a poder seguir con ellos?

10 ¿Es buena idea?

 Mira los proyectos y escucha. ¿Es buena idea? ¿Por qué? ¿Por qué no?
Ejemplo: Lunes, es buena idea ir al museo por la mañana porque hay riesgo de lluvia.

El termómetro sigue subiendo

■ Tras las lluvias de la semana pasada el riesgo de incendios ha descendido de forma considerable, pero ha bastado tres días de calores intensos para volver a tener riesgos elevados de incendios en toda la comarca.

HOY el calor apretará de nuevo: 34 grados se esperan en el interior pero en el litoral serán inferiores a los 30 grados. La elevada humedad dará sensación de bochorno. Por la mañana habrá algunas nubes en la costa. En el resto del territorio lucirá un sol de justicia.

MAÑANA – aumento de la nubosidad por poniente con riesgo de algún chubasco en esta zona. Nubes y claros en el resto.

PASADO MAÑANA – ambiente soleado y despejado. Temperaturas estables.

11 Los proyectos para la semana

a Escucha. ¿Qué ideas tienen? Anota el programa para la semana.

b Escucha el pronóstico. ¿Hay que cambiar el plan? Rellena las casillas.

día	actividad	pronóstico	resulta sí ✓ o no ✗
lunes	kárting	lluvia	✗

c Explica por qué no se puede hacer las actividades marcadas con la equis (✗). Sugiere otras ideas.
Ejemplo:
No se puede hacer kárting porque va a llover.
▼ Si está lloviendo mañana iremos a …
▲ Si llueve mañana podríamos ir a …

d Escribe una agenda decisiva para la semana entrante.

20 Un vistazo turístico

Palacio Nacional

MEMORIAS ESTUDIANTILES DE ANTAÑO – ¡QUÉ TIEMPOS AQUELLOS!

*El **B**arrio gótico – allí pasaba horas gozando su ambiente medieval. Me extraviaba por las calles estrechas con sus tiendas artesanales donde compré mi primera guitarra. Cuanta **A**rquitectura distinta veía cuando vagaba por la ciudad – hechizada por el modernismo – Gaudí – su increíble casa Milá y la Sagrada Familia sin terminar. Nos íbamos por las **R**amblas pasando el Liceo saboreando el ambiente de vendedores ambulantes, quioscos, el mercado de flores y de pájaros enjaulados – ¡qué gentío! Me fascinaba la **C**atedral tan majestuosa, rodeada de callejuelas al mismo tiempo prisionera y dominante – una isla de frescura y silencio. Llegué a conocer la nueva expansión l'**E**ixample. Recorría sus avenidas amplias y elegantes pasando por Gracia hasta llegar al pie del Tibidabo. Me encantaba viajar en tranvía, contenta de mirar. Uno de mis **L**ugares favoritos era Montjuich – El Teatro Griego y mi primer encuentro con el ballet flamenco y el amor brujo. Subía allí los domingos y me sentaba a contemplar la gente en su **O**cio, endomingados a bailar sardanas frente al Ayuntamiento o a coger fresco en su paseo habitual – yendo y viniendo o rumbo hacia Colón, símbolo de su historia **N**áutica. Me gustaba ver los trenecitos llenos de corcho que transitaban de fábrica a puerto; el restaurante favorito de mi papá Las Siete Puertas donde solíamos pasar horas comiendo. ¡Y su **A**rte! Me abrió los ojos de un solo golpe – Picasso, Miró, lo románico todo al alcance de esta estudiante hambrienta por la cultura hispana. La parte americana es otro cuento.*

Colón

Casa Milá

Montjuich

Las Ramblas

Barrio gótico

Catedral

1 Barcelona

a Lee y escoge un aspecto de la ciudad para cada foto.

b ¿Cuántos verbos sinónimos de movimiento puedes encontrar? *Ejemplo:* iba, …

c Escucha al guía y anota los lugares. ¿Qué visita escogerías? ¿Por qué?

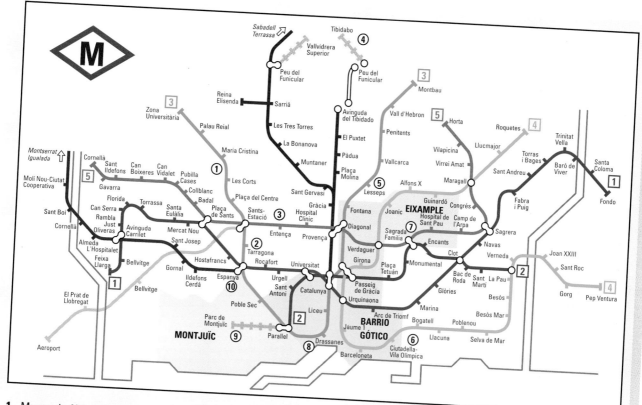

1 Museo de fútbol: Camp Nou – Barça – fundado 1899. Estadio construido 1957 por Francesc Mitjans, arquitecto catalán. Caben 98,000 sentados y 17,000 de pie. Blau grana = colores de azul y rojo. Mini estadio – patinar sobre el hielo.

2 Parque Joan Miró: matadero antiguo transformado en parque durante los 80. En dos niveles con canchas de fútbol abajo y pavimentado arriba dominado por la escultura famosa Dona i Ocell de Miró.

3 Parque de l'Espanya Industrial – fábrica de textiles de antaño reformado con canales y lago para remar – esculturas modernas con parque infantil.

4 Tibidabo – parque de atracciones. Data de 1908, domina la ciudad a 517m de altura.

5 Parque Güell – la creación colorida de Gaudí designada sitio mundial de herencia. Comisionado por El Conde de Güell en 1890, fue terminado en 1922.

6 Parque Zoológico – forma parte del amplio Parque de la Ciutadella. Abierto en 1940, los animales viven en islas separadas por agua. La más grande atracción es Floquet de neu, el gorila blanco.

7 La Sagrada Familia llamada la iglesia menos convencional de Europa, ha llegado a ser símbolo de una ciudad individualista. Se comenzó en 1883 y su construcción continúa hoy en día.

8 El puerto. Aquí se puede visitar una réplica de la Santa María o coger un crucero en golondrina por media hora o de dos horas, y visitar la Villa Olímpica.

9 Montjuich – el otro lugar popular a 213m de altura contiene el Pueblo Español – hecho para la Exhibición Internacional de 1929, centro de artesanías y edificios típicos – el estadio Olímpico de 1936 y 1992 – museos y el castillo.

10 La Plaza de España – fuentes iluminadas de noche.

d Tienes solamente 12 horas para ver la ciudad. Mira el folleto (y la página 102) y escribe un itinerario.

e Ahora mira el itinerario de tu compañero/a y compara tus planes. ¿Quieres cambiar algo? ¿Por qué?

2 Bogotá

a Escucha. Alejandro habla de Bogotá.
▼ Identifica la foto.
▲ Anota unos detalles sobre la capital.

b Empareja la descripción con la foto.

más rica colección de joyas precolombinas y esmeraldas

antiguas casonas de portones y balcones coloniales

dos símbolos religiosos: uno abajo, estilo colonial; otro en la cima de los dos cerros que dominan la ciudad

corazón y antiguo centro de la capital

la sede del gobierno donde vive el presidente

Palacio de Gobernación
Plaza de Bolívar
Museo de oro
Catedral y Montserrate
La Candelaria
Colombia
SALUDOS DE BOGOTÁ

3 Palma de Mallorca

a Escucha. ¿Qué tienen la intención de hacer? ¿Cuál de las fotos corresponde?

b Escucha otra vez. ¿Qué opinan?
▼ Empareja el lugar con la opinión.
Ejemplo: catedral = impresionante
▲ Escribe una frase.
Ejemplo: Fui a la catedral y me pareció impresionante.

¿Te ayudo?

fue aburrido   me gustó mucho
lo pasamos muy bien   fue increíble
excelente   impresionante
me quedé desilusionado/a
me pareció/a horroroso/a
no me gustó

A

B

C

D

4 Madrid

a Escucha a dos amigos discutiendo sus planes.

Ayer
fuimos a / visitamos / vimos ...
hemos ido a / hemos visitado /
hemos visto ...

Hoy
vamos a ver / visitar / ir a ...

Mañana
iremos a / visitaremos / veremos ...
podremos ir a / visitar / ver ...

b Prepara dos conversaciones y graba una de ellas.

5 Santa Cruz de Tenerife

a Lee y escoge las palabras adecuadas.

MINISTERIO DE CULTURA
MUSEO NACIONAL CENTRO DE ARTE
REINA SOFIA
ENTRADA

Ministerio de Educación y Cultura
Museo Nacional del Prado
Entrada Exposición MURILLO
LOS CINCO SENTIDOS Y EL ARTE
Nº 111593
Patrocinada por Banco Bilbao Vizcaya
Con la Colaboración de RTVE

Palacio Real

Plaza Mayor

El parque del Retiro

Cibeles

Llegué hace tres días y me quedé (1 impresionado/a – insatisfecho/a) con las playas negras. Nos dijeron que (2 había – hacía) una playa de arena fina y amarilla. Ayer (3 comimos – fuimos) al volcán de Teide. Nos (4 encantó – escuchó) con su paisaje increíble. Hoy hemos (5 decidido – dicho) visitar el Palacio Insular porque queremos (6 ver – ser) las momias de los Guanches. También (7 dicen – hablan) que se puede ver el cañón que le quitó el brazo al almirante Nelson allí. Saldremos pasado mañana a (8 dar – ver) un paseo al puerto.

b Escoge cualquiera de los lugares de este paso. Escribe una tarjeta o carta.

Preguntas claves

¿Adónde fuiste / fuisteis?
¿Qué museos visitaste / visitasteis?
¿Qué monumentos viste / visteis?
¿Qué hiciste / hicisteis de interesante?
¿Qué aspectos no te / os gustaron?
¿Qué compraste / comprasteis?
¿Qué comiste / comisteis?

PLAYA DE LAS TENERIFE AMÉRICAS

3 ▶ Extra 3A ●

Mi diccionario (3)

1 ¡Mil maneras de no usar tu diccionario!

a Hay grupos de palabras que trabajan juntas:
pescado – pescador – pescadería – pescadero

Inventa más ejemplos.

> fruta   leche   cartas   flores

b Hay palabras que ya conoces que se
juntan con otras.
Ejemplo: abre + latas = abrelatas
¿Qué significan?

> pisacorbata   boquiabierto   cabizbajo

c Hay palabras que ya conoces que añaden
otras partes para convertirse en verbos.
Ejemplo: cerca – acercarse
            lejos – alejarse

Busca cinco más.

d Prefijos que son muy parecidos al inglés.

Español	Inglés
re	*re-* = otra vez
des / in	*dis-* / *des-* / *un-* / *in-* / *-less* =
im / il	el contrario de la palabra

¿Qué significan?

> **re**leer   **re**organizar   **des**embarcar   **des**trozar
> **in**satisfecho   **il**egal   **im**posible

Escribe una lista de otros ejemplos que ya conoces.

e Sufijos que tiene su equivalente en inglés.

Español	Ejemplo	Inglés
dad / tad	dificul**tad** ciu**dad**	*-ty*
ción	fun**ción** situa**ción**	*-tion*
ador / edor / idor	liber**tador**	*-er / -or*
oso / osa	fabul**oso** delici**oso**	*-ous*
mente	rápida**mente** fácil**mente**	*-ly*

Busca tres ejemplos más para cada uno.

f ¡Exclusivamente español!

> **-ito/a   -ecito/a   -illo/a   -ecillo/a   -ón(a)**
> Mi gatito se llama Matón.
> Mi ratoncito se llama Goliat.

¿Qué significan?

> un poquito   una casita   un panecillo
> un sillón   una mujerona

2 A ti te toca

a Mira estas palabras y trata de
identificar la regla.

pianista = *pianist*
biología = *biology*
admirar = *admire*
servir = *serve*
esnob = *snob*

b Escribe otros ejemplos.

c Inventa unas telarañas de
vocabulario.

tiempo libre

·MAÑAS·MAÑAS·**MAÑAS**·MAÑAS·MAÑAS·

1 Escribe

¡Consejo importante!
Hay que planear todo
bien en borrador.

Subraya los detalles que
tienes que incluir. Tacha cada
uno cuando lo hayas hecho.

- Escribe algo para cada pregunta o
  punto requerido para demostrar que
  lo reconoces, aun si no tienes mucho
  que decir.
- Practica en borrador. Escribe frases
  sencillas. Cuando estés seguro de ti
  mismo trata de juntar las frases usando:

> que   y   pero   porque   de modo que
> de manera que

Ejemplo:

> ¡Hola! Me llamo Roberto. Tengo trece
> años. Vivo en Bristol. No me gusta.
> Es aburrido. Me gusta el deporte.
> Voy al polideportivo bastante.

> ¡Hola! Me llamo Roberto y tengo trece
> años. Vivo en Bristol pero no me gusta
> porque es aburrido. Me gusta el
> deporte de manera que voy al
> polideportivo bastante.

- Trata de NO usar las mismas palabras
  que han usado en el ejemplo. Busca una
  palabra contraria para variar.
  fácil → difícil, limpio → sucio
- Trata de incluir una opinión:

> Me parece aburrido …

> No me gusta … porque es injusto.

- Trata de incluir una pregunta tuya.

> ¿Qué te parece?   ¿Te gusta?

- Inventa un sistema de chequeo riguroso.

T	ense	**G**	énero (el / la / los / las)
A	ccents	**A**	centos
P	erson / pronouns	**T**	iempo del verbo
A	greements	**O**	rtografía
S	pellings		

Inventa tu propio sistema - uno en inglés,
otro en español.

2 Habla y escribe – ¡ambos!

- Si no lo sabes decir o escribir, busca
  una manera alternativa.
  Ejemplo: no está casado = es soltero
  no está limpio = está sucio

> es algo que / una persona que …

> se parece a …

> es una especie de …

> es el contrario de …

> es un animal con … / que tiene …

> es una persona con … / que hace … /
> que lleva …

- Aprende unas frases claves.
  al principio / primero / en primer lugar
  después / segundo
  luego / entonces
  finalmente

- Con tu compañero/a inventa maneras
  de relatar oralmente o por escrito:
  – algo que te pasó en el día.
  – una clase que te gusta / gustó.
  – una noticia interesante.
  – palabras en imágenes o dibujadas.
  – bocadillos en tebeos.
  – el final de un cuento.

Oriéntate 3A •

1 Opiniones (1)

		espectacular	aburrido/a	simpático/a
En mi opinión	es	maravilloso/a	horrible	tímido/a
Creo que		magnífico/a	complicado/a	gracioso/a
A mi ver		imprescindible	inaceptable	original
Me parece que		interesante	nulo/a	abierto/a
En cuanto a mí		genial / rico/a	asqueroso/a	elocuente
Lo / le / la considero		divertido/a	imposible	(in)justo
Los / les / las encuentro		fácil / un chollo	difícil	severo/a
		estupendo/a	ridículo	exigente / estricto/a

(No) tienes razón / Te equivocas   Yo tampoco   Se trata de algo / una persona ...

2 Posesión

ADJETIVOS POSESIVOS

mi	perro	mis	perros	
	cabra		cabras	
tu	libro	tus	libros	
	goma		gomas	
su	zapato	sus	zapatos	de él
	camisa		camisas	de ella
				de usted

nuestro(s)	colegio(s)
nuestra(s)	escuela(s)
vuestro(s)	pueblo(s)
vuestra(s)	aldea(s)

su	piso	sus	pisos	de ellos
	casa		casas	de ellas
				de ustedes

PRONOMBRES POSESIVOS

(el) mío	(los) míos
(la) mía	(las) mías
tuyo ↓	tuyos ↓
tuya	tuyas
suyo	suyos
suya	suyas
nuestro	nuestros
nuestra	nuestras
vuestro	vuestros
vuestra	vuestras
suyo	suyos
suya	suyas

Nota: es mío
tiene el mío

3 El imperfecto se forma así

hablar → hablaba hablabas hablaba
hablábamos hablabais hablaban

hacer → hacía hacías hacía hacíamos hacíais
hacían

vivir → vivía vivías vivía vivíamos vivíais vivían

oJo

ir → iba ibas iba íbamos ibais iban
ser → era eras era éramos erais eran
ver → veía veías veía veíamos veíais veían

4 Un gran personaje

¡Unico!
En español hay que usar **a** cuando
refieres única y exclusivamente a
una(s) persona(s) específicamente.

Quiero ver **a** mi mamá en seguida.
No vimos ni **a** Juan ni **a** Pilar ni **a** nadie.
¿Has oído **a** tu profe?

Taller 3A

1 Opiniones

a Escucha.
- ¿De qué / quién hablan?   • ¿Qué opinan?

b A turnos con tu compañero/a pregunta su opinión sobre:

> la música clásica   un libro que ha leído   un programa de la tele
> un(a) deportista   un(a) cantante   una revista   el pueblo / barrio
> sus asignaturas   la comida de la cantina

2 Posesivos

a Escoge el adjetivo posesivo adecuado en cada frase.
1 ¿Por qué no has hecho (tu / tus) deberes?
2 Porque he perdido (mi / mis) bolso.
3 ¿Por qué no ha escrito (su / sus) ejercicio?
4 Porque ha roto (su / sus) bolígrafo.
5 ¿Vinisteis a (nuestra / nuestro) casa?
6 Sí, para buscar (nuestras / nuestra) mochilas.

b Compite con tu compañero/a.
Mi habitación está muy limpia. La mía está más limpia que la tuya.
Nuestra casa es muy moderna. La nuestra también y …
Mi reloj es … Nuestra clase es … Mi cuaderno es … Nuestro profe es …

c Copia y escribe el pronombre posesivo correcto en cada frase.
1 Estas gafas son (mío) ___. (Tú) ___ están en tu bolsillo.
2 Esta foto es fea. (Mi) ___ es más bonita.
3 No tengo mi cartera. ¿Tienes ___?
4 Hemos olvidado nuestros libros. ¿Vosotros tenéis ___?
5 ¿Quieres ir en mi coche o en ____?

3 El tiempo imperfecto

a Escucha las entrevistas. Cuando
tenían nueve años, ¿cómo eran?,
¿qué les gustaban?, ¿qué querían ser?

b Escribe cómo eras tú.

> me gustaba   iba   tenía
> salía   estaba   tocaba   vivía
> jugaba   era   leía   miraba
> me levantaba   me acostaba

c Pregunta a tu compañero/a cómo
era, qué hacía etc. Usa los verbos de
arriba para ayudarte.

4 El gran personaje A

Lee las frases siguientes. Decide si hace falta
una **a** o si no se necesita.

1 Quiero mi mamá muchísimo.
2 Quiero coger el tren de las nueve.
3 Queremos ver el perro.
4 Queremos ver la estatua de Shakespeare.
5 ¿Has escuchado la radio?
6 ¿Has escuchado tu hermanito?
7 Hemos visitado los abuelos.
8 Hemos visitado el monstruo del Loch Ness.
9 Ayuda tu padre en la cocina.
10 Ayudamos el profe en la clase.

Recorriendo recados

1 Mandados y más mandados

 a Escucha. Escribe la lista de mandados.

 b Escucha otra vez.
▼ Escribe adónde vas para cada mandado.
▲ Da la razón para cada mandado. Contesta con una frase entera.

2 A planear la mejor ruta

a Practica este diálogo con tu compañero/a.

– ¿Qué cogemos, el metro o el autobús?
– ¿Tú qué prefieres?
– Prefiero el autobús porque así puedo ver más de la ciudad.
– Tienes razón pero es más rápido por metro.
– Tal vez pero es más caro, ¿verdad?
– No es cierto. Con un billete o bonometro podemos ir en ambos.
– Entonces no hay discusión – vamos.
– Mamá, ¿tienes un plano del metro?
– Aquí tomad el mapa.

 b Mira el plano del metro. Para cada pregunta escoge una respuesta adecuada. Escucha el ejemplo.

1 Para ir a ..... ¿qué línea es?
2 ¿Dónde bajamos?
3 ¿Hay que cambiar de línea?
A Tenemos que bajarnos en ..... .
B Sí, hacemos transbordo en ..... .
C Es la línea ..... dirección ..... .

c Mira tu lista de recados. Decide cuál es la mejor ruta para hacer todos los mandados. Practica unos diálogos siguiendo el ejemplo.

¿Te ayudo?

Primero tenemos que ir a ...
segundo
tercero
luego
entonces
finalmente
¿Qué almacenes se quedan cerca?
¿Cuáles están más lejos?

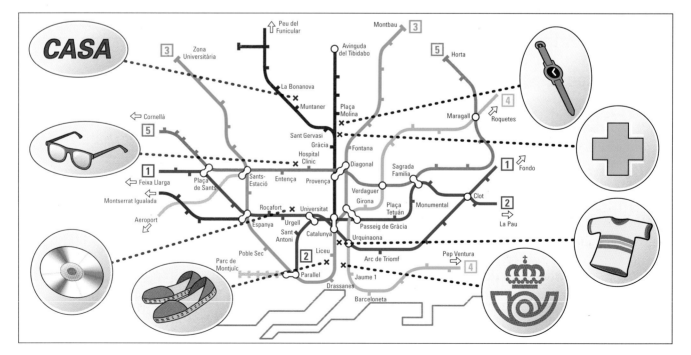

3 ¿A qué planta voy?

a Mira el plano del almacén. ¿Adónde vais si queréis …
1 comprar zapatillas de tenis?
2 mirar ropa interior femenina?
3 comprar un nuevo despertador?
4 tomar chocolate con churros?
5 averiguar cosas de ordenador?

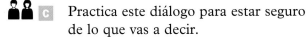

b Juega con tu compañero/a.
Ejemplo:
A Quiero comprar … . ¿Adónde voy?
B Vas a … .

c Practica este diálogo para estar seguro de lo que vas a decir.

– Quisiera cambiar (esta camiseta) por favor.
– ¿Tienes el recibo de compra?
– Aquí está. Tome usted.
– ¿Qué es lo que pasa con esto?
– (Resulta que mi hermano se ha engordado algo y no le queda bien.)
– ¿Entonces quiere (una talla más grande)?
– Sí, (talla 42) por favor. ¿Lo tienen en otros colores?
– Por supuesto lo tenemos en (berenjena, azul turquí o verde olivo). ¿Cuál prefieres?
– Voy a coger (el verde olivo).

¿Te ayudo?

estos vaqueros / esta blusa / este jersey / estas medias
Quedan grande(s) / pequeña(s) / justo/a(s)
No me gusta la moda / el color / el material

Bienvenidos ¡todo bajo un solo techo!

Planta	
Sótano:	electrodomésticos – información
Baja:	perfumes y cosméticos – cafetería
Primera:	hogar – cristalería
Segunda:	niños – juguetes y ropa
Tercera:	confección de damas – interior – peluquería
Cuarta:	todo para el hombre de hoy
Quinta:	deportes – ropa y equipo
Sexta:	informática – sonido – vídeo – foto

d Mientras estás haciendo cola oyes estas conversaciones.
▼ ¿Qué quieren cambiar?
▲ ¿Por qué? ¿Se puede? ¿No se puede?
Rellena las casillas.

número	objeto	razón	resultado ✓/ ✗

Tabla de Medidas
¿Qué número calzas?

Zapatos

(fem.)

España	36	37	38	39	40	41	
Reino Unido	3	4	5	6	7	8	

(masc.)

España	39	40	41	42	43	44	45	46
Reino Unido	6	7	7¹/₂	8	9	10	11	12

4 Alpargatas

Tenéis que cambiar las alpargatas. Inventa un diálogo con tu compañero/a basado en el ejemplo de arriba.

Preguntas claves

¿Qué número calzas?
¿Qué talla eres?
¿Qué color prefieres?
¿Cuánto vale?
¿Lo envuelvo?

Se lo envolvemos gratis.

5 Correos

AVISO IMPORTANTE

La manera más rápida de mandar una carta es por urgente o certificado. Hay cuatro tarifas: Unión europea; el resto de europa; los EE UU; y el resto del mundo. Los paquetes hay que pesarlos y atarlos bien con cuerda. Lo más seguro es mandarlo por el servicio Paquete Azul.

Horas de apertura:
- Sucursales principales 8h – 21h lunes a viernes, 9h – 19h sábados. Cerrado domingo.
- Afueras y pueblos 9h – 14h lunes a viernes, 9h – 13h sábados. ¡No olviden el código postal!

a Quiero saber …
1 Vivo en las afueras.
   ¿Correos está abierto a las 16h?
2 Quiero que mi carta llegue rápido.
   ¿Cómo hago?
3 Tengo un paquete sellado con cinta pegante. ¿Lo aceptarán?
4 Quiero que mi paquete llegue seguro.
   ¿Qué servicio uso?
5 Quiero echar una carta el domingo.
   ¿La recogerán?

b A ver si puedes explicar estas direcciones a tu compañero/a.

Calle italia 31 4a izq. – Alicante 03003

Angel Gavinet 28 Portal 5 4B Madrid 28007

6 El chapuzón y el choque

De repente empieza a llover duro. Decidís correr hacia el metro cuando …

a Mira los dibujos.

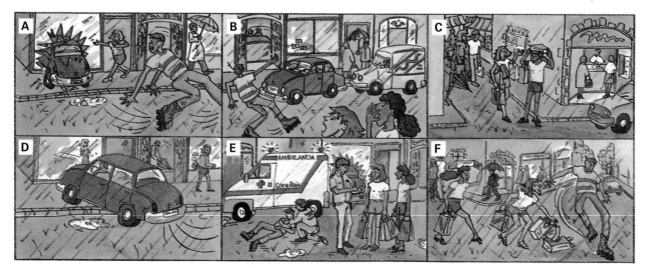

b Lee el resumen del accidente y pon los dibujos que corresponden en orden.

Dos personas estaban caminando por la calle y tenían muchos paquetes de compras.
Estaban cruzando la calle cuando de repente un paquete se cayó.
En este mismo instante venía un tipo en monopatines bajando la calle muy deprisa.
Bruscamente se desvió para evitar a las personas que estaban recogiendo sus paquetes de la calle.
Un coche rojo estaba subiendo al otro lado de la calle. Se salió de la calzada para no chocar con el monopatinador.
Desgraciadamente el coche no pudo frenar a tiempo. Se ha chocado contra la vitrina de una tienda. El monopatinador miró hacia atrás y perdió el equilibrio.
Una ambulancia y dos policías acudieron rápidamente al accidente. Por fortuna no hubo heridos graves.

c Mira el dibujo y escucha a los testigos. ¿Quién dice qué?

d ¿En tu opinión quién es el mejor testigo? ¿A o B?

e Mira los dibujos otra vez. A turnos con tu compañero/a haz y contesta unas preguntas.

f Imagina que tú eres el testigo C. Escribe tu declaración.

¿Te ayudo?

¿Dónde estaba la camioneta?
¿Qué hacía / estaba haciendo?
¿Qué pasó / estaba pasando?

Estaba	corriendo
	cruzando
	mirando
	doblando
	esperando

Iba …

7 ¿Qué pasó?

Escoge una frase adecuada para cada imagen.

1 El coche voló los semáforos.
2 La moto resbaló / deslizó.
3 El niño ha sido / fue herido por el coche.
4 El camión conducía demasiado rápido / muy deprisa.
5 El niño se lanzó a la calle sin mirar.
6 Se paró de repente sin avisar.

1 La Fiesta Mayor de Sitges

METAS   ● fiestas   ● invitaciones   ● paseos

a Lee.

El calendario de fiestas y actividades de Sitges no permite el aburrimiento. Más de una treintena de acontecimientos – unos de carácter internacional – convierten a Sitges en una fiesta permanente.

La Fiesta Mayor con sus bailes populares y folklóricos y un apoteósico castillo de fuegos artificiales hacen que esta celebración esté considerada como de las más destacadas de

Cataluña. Se celebra en honor a San Bartolomé. Fue declarada el año 1991 de interés nacional por la Generalitat de Catalunya por la gran riqueza y valor de sus bailes populares.

b Copia y completa el texto con unas palabras adecuadas.

Se ___1___ muchas fiestas durante el año en Sitges y nadie se ___2___.
El calendario tiene más de ___3___ eventos. En la Fiesta Mayor hay grupos que ___4___ . Los fuegos artificiales se ___5___ y hoy en día se ___6___ que es una fiesta de ___7___ nacional.

importancia   celebran   treinta   destacan   aburre   bailan   considera

c Busca un texto adecuado para cada foto.

1 La fiesta se inicia en el Cap de la Vila a las doce del día 23 de agosto.

2 Al sonido de Les Gralles todos los grupos bailan por la calle.

3 Lo más emocionante son los petardos cuando pasan el dragón y los diablos.

4 Salen los Reyes Católicos Isabel y Fernando como muñecos gigantescos.

5 Los cabezudos son los más divertidos de la procesión.

6 Es increíble verles construir la torre humana – ¡da miedo!

7 El día 24 en la noche es lo mejor de todo – casi una hora de fuegos artificiales.

8 Todo se termina con una ceremonia de clausura frente a la Alcaldía el 25.

¿Te ayudo?

Mañana va a haber…
Pasado mañana vamos a …
Al día siguiente voy a …
Otro día podremos …

d Imagina que estás de vacaciones. Explica a un(a) amigo/a lo que vas a hacer durante la Fiesta Mayor.

2 La Fiesta de Sant Antoni Abat

 a Escucha a Pilar hablando de lo que pasó. Anota los detalles más importantes.

b Imagina que fuiste a esta fiesta.
▼ Escribe seis frases con dibujos.
▲ Escribe una carta breve de unas 60 palabras.

> Mallorca
> 17 de enero
> El año pasado fui con mis abuelos a participar en esta fiesta. Se celebra por toda la isla de Mallorca y en Sant Antoni en Ibiza. Todo el mundo sale con sus animales y el cura viene para bendecirlos.

3 Y en las Islas Canarias …

a Lee la carta de Guillermo.

b Busca una frase adecuada para cada dibujo.

> El año que viene iremos a la Romería de la Virgen de la Candelaria el día 15 de agosto. Los peregrinos vendrán de todas partes del mundo para ver la famosa estatua. Hay una leyenda antigua que dice que la estatua llegó a la isla hace siglos – antes de los cristianos. Llegó a la deriva flotando en el mar y las olas la trajeron a la orilla. Desde aquel entonces la han venerado igualmente paganos y cristianos (se me hace que todas las religiones se semejan mucho). En 1826 una ola maremoto la llevó otra vez al mar. Ahora tienen una réplica. No obstante siguen poniendo flores y velas alrededor de ella y los fieles siguen venerándola.

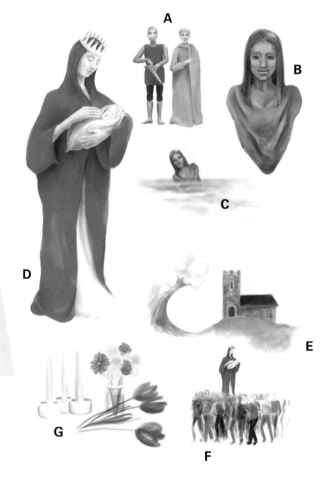

4 A ti te toca

¿Cuál de las tres fiestas te parece la más interesante?
▼ Escribe unas cuantas frases.
▲ Explica por qué te interesa y lo que se hace.

5 Vamos de paseo

 a Escucha a Elena y a sus amigos discutiendo sus planes. Identifica sus argumentos a favor de cada paseo: ¿Acualung o Romería?

Parque acuático

Romería tradicional

b Escucha otra vez. Identifica los argumentos en contra de cada paseo.

c ¿Qué decidieron? ¿Adónde van? ¿Cómo? ¿Por qué?

d Y tú, ¿adónde querías ir? ¿Al parque acuático o de romería? ¿Por qué?

	a favor	en contra
Acualung		
Romería		

¿Te ayudo?

Es costoso.
Hay mucho que hacer.
Es tranquilo.
Hay más aventura.

6 ¿A quiénes invitamos?

a Escucha e identifica la persona.

b Describe tres de ellos.

c Escucha otra vez. ¿Qué tal te parece?
▼ Indica si le gusta o no.
▲ Da la razón.

d Si vas a salir en un grupo di a quiénes invitarías y por qué.

e A ti te toca. Describe a un(a) compañero/a tuyo/a a la clase. ¡A ver si pueden adivinar quién es!

A

B

C

D

E

7 ¿Cuándo y a qué hora?

a Practica este diálogo con tu compañero/a.

– Oye, ¿vamos a salir (este fin de semana / mañana / el sábado que viene)?
– Buena idea. ¿Qué tienes pensado hacer?
– A mí me gustaría (hacer un recorrido al campo / dar un paseo por ...).
– Vamos a ver si (tu hermano nos presta el coche / se puede alquilar unas bicis).
– Yo sí creo con tal de (tener mucho cuidado / hacerlo a tiempo).
– ¿A qué parte vamos a ir?
– Vamos primero a ..... y después podremos ir a ..... . Si queréis iremos a ..... de regreso. ¿Qué tal te parece?
– Perfecto. Voy a decírselo a ..... .

b Inventa otros diálogos así.

c Escucha los mensajes. ¿A cuál invitación corresponden?

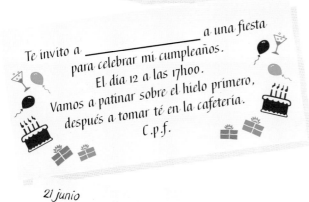

martes 13 Romería – encontrarse en la Plaza de España 10h00

Te invito a _____ a una fiesta para celebrar mi cumpleaños.
El día 12 a las 17h00.
Vamos a patinar sobre el hielo primero, después a tomar té en la cafetería.
C.p.f.

21 junio
Noche de San Juan
Fogata y barbacoa – casa de los Buendía 21h00.
Miguel no estará – ¡qué pesar!

d Escucha otra vez. Corrige las faltas.

8 ¿Qué necesitamos?

a Mira la cantidad de cosas que tu amigo/a piensa llevar consigo. ¡Por un día de romería! Discute con él / ella. ¿Cuáles crees que son importantes / necesarios, y cuáles no lo son?
Ejemplo:
▼ **A** Vamos a necesitar ....
  B No lo creo.
▲ **A** Vamos a necesitar ....
  B No lo creo. ¿Por qué?
  A Porque ...

b Haz dos listas. Las cosas que vais a llevar y las que no vais a llevar.

c Ahora escribe unas frases.
Ejemplo: Vamos a llevar esta toalla pero no vamos a llevar aquélla.

9 A ti te toca

a En un grupo escoge un recorrido para hacer en tu región / país.
¿A qué hora vas a salir?
¿Adónde vas a ir?
¿A quiénes vas a invitar?
¿Qué vas a llevar contigo?

b Ahora escribe una carta a Guillermo, Pilar o Alejandro para contarles lo que vais a hacer.

De compras para comer ● ● ● ● ● ● ● ● ● ● ● ● ●

1 La lista de compras

 a Escucha y rectifica lo que hace falta.

b Clasifica las cosas de acuerdo con la tienda donde se compran.

 c Practica con tu compañero/a.
¿Adónde vas para comprar …?
Ejemplo: Yo que tú iría a …
para comprar ….

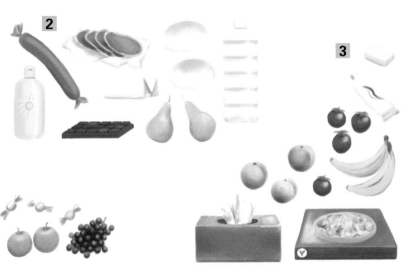

2 ¿Al supermercado, a la tienda, o al mercado?

a Unos quieren ir al supermercado.
Otros prefieren las tiendas locales o el mercado.

Prefiero ir al supermercado. Es más barato.

Es mejor comprar en las tiendas porque no hay tanta cola.

Hay mejor calidad en el mercado.

b Clasifica las opiniones. Piensa en otros argumentos a favor y en contra.

	a favor	en contra
supermercado		
tienda		
mercado		

c Escucha estas entrevistas por la calle.
¿Dónde prefiere la gente ir de compras?
▲ Da la razón.

d ¿Y tú, qué opinas?

OPINIONES

Es más fresco.

Viene empaquetado.

No hay prisa en escoger.

Es muy impersonal.

Siempre compras cosas extras.

Prefiero la atención personal.

Hay que ir en coche.

Si sólo quieres una cosa …

La tienda está a la vuelta.

Todo está bajo techo.

Todo está en el mismo lugar.

No me importa si nadie me conoce.

Hay que pagar la gasolina

Prefiero ir en coche.

3 ¿Te gusta cocinar?

Lee las recetas y decide cuál vas a preparar. ¿Qué necesitas?
Ejemplo: Si hacemos … necesitaríamos … .

Pollos a la chilindrón
2 pollos 600g
4 tomates grandes
4 pimentones pequeños
1 cebolla grande
2 cucharadas de aceite
150g de jamón
1 copita de vino blanco
ajo, chili, sal y pimienta
para sazonar

Sopa de ajo castellana
100g aceite de oliva
100g jamón serrano
100g pan viejo en tajadas
3 cabezas de ajo
6 huevos
1 litro de agua

4 De compras

 a Escucha e identifica la lista para cada persona.

A

1 litro de leche
250g jamón serrano
1/2k tomates
3 yogures

B

1 paquete de sal
500g de azúcar
1 litro de leche
2kg tomates

C

1 caja de fósforos
1 paquete de galletas y 1 de azúcar
1 lata de anchoas

 b Escucha otra vez. Identifica si hay un problema (✓) o no (✗).
▲ ¿Cuál es?

c Inventa otras listas. Dilas a tu compañero/a.
El / ella tiene que escribir o dibujar las cosas en tus listas – ¡a ver si las sabe todas!

5 ¿Estás listo?

a Antes de comenzar a cocinar hay que averiguar si tienes todo el equipo.
A turnos con tu compañero/a sigue el ejemplo.

A

¿Tienes pelador de patatas?

No, pero siempre podríamos usar un cuchillo afilado.
B

A

una batidora eléctrica

una batidora

un colador

una paellera

B

un fuete

un tenedor

papel de la cocina

un sartén

 b ¿Puedes inventar más ejemplos?

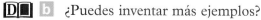

119

6 Mi receta favorita

¡Mmm, huele rico!

Sabe a ajo.

Tiene sabor a miel.

Es un poco ácido / amargo.

Está riquísimo.

A mí me fascina el cocido madrileño. Lo comemos mucho en mi casa sea invierno o verano. Aquí hay las instrucciones para mi receta favorita...

Un poquito por favor.

Está un poco salado.

Lo siento, no me gusta.

Está buenísimo.

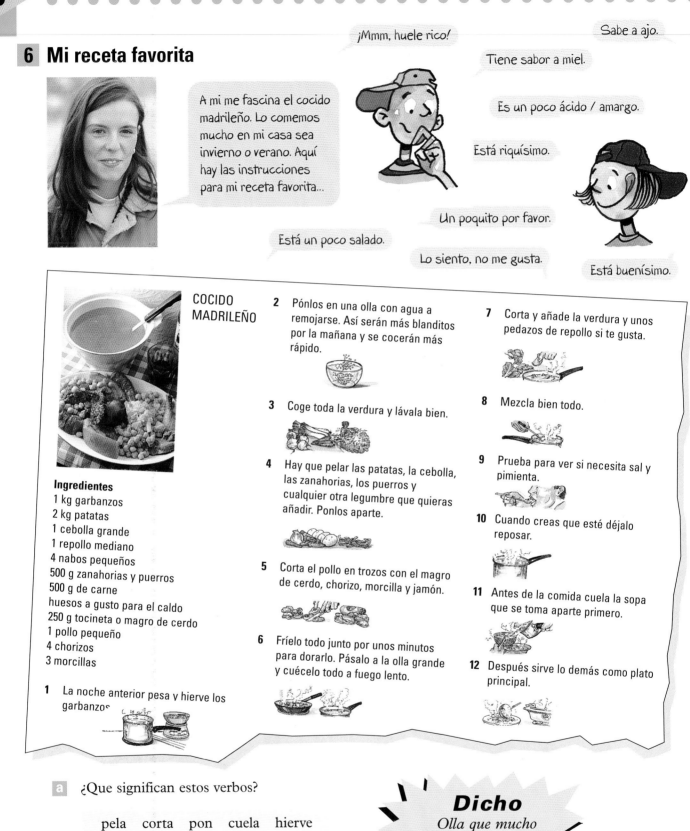

COCIDO MADRILEÑO

Ingredientes
1 kg garbanzos
2 kg patatas
1 cebolla grande
1 repollo mediano
4 nabos pequeños
500 g zanahorias y puerros
500 g de carne
huesos a gusto para el caldo
250 g tocineta o magro de cerdo
1 pollo pequeño
4 chorizos
3 morcillas

1 La noche anterior pesa y hierve los garbanzos

2 Pónlos en una olla con agua a remojarse. Así serán más blanditos por la mañana y se cocerán más rápido.

3 Coge toda la verdura y lávala bien.

4 Hay que pelar las patatas, la cebolla, las zanahorias, los puerros y cualquier otra legumbre que quieras añadir. Ponlos aparte.

5 Corta el pollo en trozos con el magro de cerdo, chorizo, morcilla y jamón.

6 Fríelo todo junto por unos minutos para dorarlo. Pásalo a la olla grande y cuécelo todo a fuego lento.

7 Corta y añade la verdura y unos pedazos de repollo si te gusta.

8 Mezcla bien todo.

9 Prueba para ver si necesita sal y pimienta.

10 Cuando creas que esté déjalo reposar.

11 Antes de la comida cuela la sopa que se toma aparte primero.

12 Después sirve lo demás como plato principal.

a ¿Que significan estos verbos?

pela   corta   pon   cuela   hierve
pesa   mezcla   calienta   cuece
fríe   prueba   lava

Dicho
Olla que mucho hierve, sabor pierde

b ¿Hay otros verbos en esta receta?

7 Un plato típico de Bogotá

Ajiaco

Ingredientes
Mazorca fresca
pollo
patatas – tres clases diferentes :
criolla, bogotana, blanca
crema de leche
alcaparras
hierbas indígenas

 Escucha las instrucciones y empareja los verbos que oyes con los ingredientes.

oJo

quita saca machaca añade

8 ¿Lo sabías ya?

 a Escucha a Pilar explicando cómo se hace la mayonesa.
Lee las instrucciones e ingredientes.
¿En qué orden van? Reorganízalas.

La mayonesa viene de la capital de Menorca que se llama Maó (Mahón).

b Explica a otra persona cómo se hace.
Ejemplo: Primero hay que …

Ingredientes:

300 ml de aceite de oliva   sal
1 cucharada de vinagre   2 yemas de huevo
½ cucharada de zumo de limón   pimienta

Instrucciones:

añade el vinagre
coge una cuchara de madera
pon un poquito de sal   bate las yemas
agrega una pizca de pimienta
añade unas gotas de aceite
rompe los huevos con cuidado
prueba   remuévelo

9 El conejo al salmorejo

Mira este plato de las islas Canarias.
Escribe una lista de ingredientes.
A ver si puedes inventar las instrucciones.

El conejo al salmorejo es un sancocho o guiso de carne y tomates. Se come con patatas en sus 'chaquetas' cocidas en agua salada.

10 ¡Infórmate!

Busca otros platos típicos de las Américas y España.
¿El gazpacho, qué es? ¿y el guacamole?
¿Las tortillas mejicanas son iguales a la tortilla española?

11 A ti te toca

Ahora da las instrucciones para un plato típico de tu país o región. Escríbelas a mano o en el ordenador.
● ingredientes   ● instrucciones
● cantidades   ● ¿cómo es?
● ¿qué equipo necesitas?

24 ¿En qué puedo servirle?

1 ¡Tengo dolor de barriga!

¡Después de tanto comer tienes dolor de barriga! ¡No me sorprende!
No se te quita entonces quieres ir al médico.
¿A ver si te puede ver?

 a Escucha y lee la llamada telefónica.
– Oiga.
– Dígame.
– ¿Es el consultorio del doctor Rodríguez?
– Si señora, ¿en qué puedo ayudarle?
– Es que tenemos a un invitado en casa y tiene un dolor en el estómago. Quiere ver a un médico.
– ¿Tiene cita?
– No, este es el problema – es extranjero además.
– Sin cita previa será imposible darle hora hoy. Estamos colmados.
– ¿Qué me aconseja entonces?
– ¿Por qué no se va a la farmacia si es nada más que una indigestión o algo parecido?
– Bueno gracias, iremos a la farmacia.

b Contesta a las preguntas.
1 ¿Cómo se llama el médico?
2 ¿Qué le pasa al invitado?
3 ¿Qué necesita para ver al médico?
4 ¿Por qué dice que es imposible hoy?
5 ¿Quién le puede ayudar?

c Practica el diálogo con tu compañero/a. ¿Puedes inventar otro donde el médico te puede ver?

¿Te ayudo?

Me siento mal / No me siento bien
¿Qué tienes?
¿Tienes cita?
¿A qué hora ...?

2 Consejos de salud

a Busca una solución a cada problema. Escribe la frase entera.

1 Si te duele la garganta ...
2 Si tienes dolor de cabeza ...
3 Cuando te sientes mareado/a ...
4 Si tienes ganas de vomitar ...
5 Si tartamudeas ...
6 Si tienes fiebre ...
7 Cuando te duele la espalda ...
8 Si tienes sed ...
9 Cuando tienes dolor de barriga ...
10 Si te cortas el dedo ...

A acuéstate a dormir.
B toma una aspirina.
C bebe agua.
D pon un esparadrapo.
E ve donde el médico.
F mira fijamente el horizonte.
G toma una cucharada de jarabe.
H ponte una crema.
I golpea la mesa con la mano.
J toma una alkaseltser.

b Compara tus soluciones con las de tu compañero/a.
A turnos di lo que tienes y da un consejo.
Ejemplo:
A Me duele la garganta.
B Yo que tú tomaría una cucharada de jarabe.

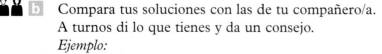

3 Tintorería – lavado en seco

a Escucha e identifica la ropa y los efectos personales. Si no los sabes ya búscalos en tu diccionario.

Señora Muñoz   Señora Zúñiga

Señor García

Pilar

Señor Robledo

Srta Gloria

Señora Pradera

Señor Pipón

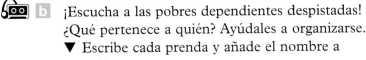

b ¡Escucha a las pobres dependientes despistadas! ¿Qué pertenece a quién? Ayúdales a organizarse.
▼ Escribe cada prenda y añade el nombre a quién pertenece.
▲ Escribe una frase entera.
Ejemplo: ¿De quién es el / la …? Es el / la de …

oJo

el abrigo = el de …
la falda = la de …

TARIFA
LIMPIEZA EN SECO
LA CALIDAD EN 1 HORA
CHAQUETA
PANTALON
CAMISA
VESTIDO
CORBATA
FALDA
ABRIGO

4 ¿A qué precio?

a Lee y escucha.

– ¿En qué puedo servirle?
– Mire usted, este traje tiene el dobladillo roto. ¿Puede reparármelo?
– Claro que sí pero le costará cinco mil pesetas la reparación.
– ¡Ay caramba!, ¡qué caro! Prefiero hacérmelo yo.

– Buenas tardes. ¿A ver si me pueden ayudar a cambiar este traje feo?
– Siempre podemos cambiarlo de color.
– ¡Qué buena idea! ¿Lo pueden teñir de rojo carmesí?
– Me parece que sí – vamos a ver.

b Haz otros similares cambiando las cosas y los precios.

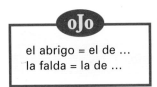

¿Te ayudo?

reparar el bolsillo – 2,000 ptas
reemplazar la cremallera – 3,000 ptas
teñir las cortinas – 10,000 ptas

5 A la orden

FOTOBOUTIQUE
Fotografía de estudio
Servicio a 24 horas

A

LA BICI
REPARACIONES – ALQUILER –
PIEZAS DE REPUESTO – DE
OCASIÓN – TODO COMO NUEVO

B

Electromercado
todos sus productos
electrodomésticos
para el hogar

C

*Mobiliario
de cocina
reformas y
venta al
público*

D

**ELECTRON
SERVICIO
TÉCNICO**
*TV, vídeo,
hifi estéreo*
**Instalación
de antenas**

E

a Escucha. ¿Dónde están?

b ¿Qué quieren? Escoge la buena respuesta.

1 La señora quiere mandar reparar / revelar / limpiar las fotos.
2 El señor quiere reparar su reloj / su lavaplatos / un pantalón.
3 El niño quiere comprar / alquilar / vender su bicicleta.
4 La señorita busca un vídeo / televisor / estéreo de segunda mano.
5 El matrimonio joven quiere reformar / comprar / instalar una nueva cocina.

6 En la joyería

a Lee y escucha.

– ¿En qué puedo servirle?
– Quiero mandar reparar este reloj.
– ¿Qué tiene?
– Tiene la pulsera rota.
– Bueno **se lo** mando hacer.

b Practica otros diálogos.

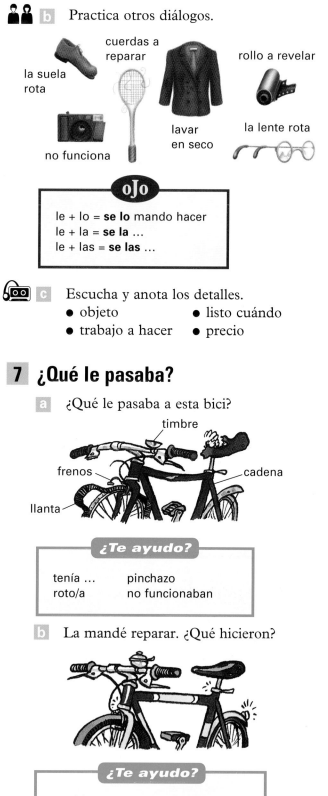

la suela
rota

cuerdas a
reparar

rollo a revelar

no funciona

lavar
en seco

la lente rota

oJo

le + lo = **se lo** mando hacer
le + la = **se la** …
le + las = **se las** …

c Escucha y anota los detalles.
● objeto
● trabajo a hacer
● listo cuándo
● precio

7 ¿Qué le pasaba?

a ¿Qué le pasaba a esta bici?

timbre
frenos
cadena
llanta

¿Te ayudo?

tenía …   pinchazo
roto/a   no funcionaban

b La mandé reparar. ¿Qué hicieron?

¿Te ayudo?

cambiaron   remendaron
inflaron   pusieron de nuevo
repararon   pintaron

8 Objetos perdidos

a ¿Qué han perdido? Empareja los objetos perdidos con sus dueños.

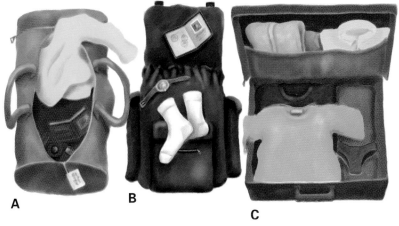

A **B**

C

> **1** Mi mochila es azul, grande y contiene mi pasaporte, mi reloj de oro y unos calcetines nuevos.

> **2** Mi bolso es verde, de deporte, con mi nombre y dirección. Contiene mi billetero, mi cámara y un jersey.

> **3** Mi maleta es de cuero de imitación con toda mi ropa. No lleva mi nombre.

b Practica este diálogo con tu compañero/a.

- ¿Me puede ayudar por favor?
- ¿Qué le pasa a usted?
- He dejado (mi bolso) en (el autocar).
- ¿A qué hora más o menos?
- (A eso de las once) creo.
- ¿De qué color es?
- Es (verde) con (una etiqueta NafNaf).
- ¿De qué tamaño es?
- Pues (ni grande ni pequeño).
- ¿Contiene algo?
- Pues tiene (mi nombre y dirección, y unos efectos personales).

c Inventa otros diálogos.

9 He dejado olvidado…

Estuviste de vacaciones en el hotel Santa María en Sitges. Escribe una carta explicando lo que has dejado en tu cuarto. Indica lo que quieres que hagan.

- sastre – en el armario – color – tamaño – material

- zapatos – debajo de la cama – color – tamaño – número – material

Preguntas claves

¿Qué ha perdido usted?
¿Dónde ha estado usted últimamente?
¿Cómo es?
¿Qué marca es?
¿De qué material es?
¿Cuánto vale más o menos?
¿Tiene alguna marca especial?
¿Tiene su nombre y su dirección inscrito?

¿Te ayudo?

Le pido el favor de …
Quiero que …

Extra 3B

1 Las Islas Galápagos

a Acabas de ganar este premio fantástico.
Tu profesor(a) te ha pedido el favor de
hablar a la clase. Explica unos detalles
sobre las vacaciones que vas a tener.
- adónde vas a ir (irás) – con quién –
  cuándo
- cómo vas a viajar (viajarás)
- cuánto tiempo vas a quedarte
  (quedarás) – en qué tipo de
  alojamiento
- cómo será – qué te gustará hacer –
  qué vas a hacer (harás)

b Compáralas con las vacaciones que
pasaste el año pasado.
- adónde fuiste (has ido) – con quién
- cómo viajaste (has viajado) –
  transporte
- cuánto tiempo quedaste (has
  quedado) – en qué tipo de
  alojamiento
- qué hiciste (has hecho) – excursiones
  – deporte – museos
- qué tal te fue (te ha ido) – da tu
  opinión

c Graba una casete en español.
Habla por tres o cuatro minutos
máximo. Incluye tantos detalles y
opiniones como puedas.

2 Información, por favor

a Quieres más información.
Escribe a la Oficina de Turismo y pide
lo que quieres saber. (30 palabras)
Esto te da una idea de la información
que quieres.

PREMIO EXTRAORDINARIO DE VERANO

ISLA PINTA
ISLA MARCHENA
ISLA TOWER
el ecuador
ISLA JAMES
ISLA FERNANDINA
ISLA RABIDA
ISLA BALTRA
ISLA SANTA CRUZ
ISLA ISABELA
ISLA PINZON
ISLA SANTA FE
ISLA SAN CRISTOBAL
ISLA FLOREANA
ISLA GARDNER

GANASTE un viaje para dos personas

b Escribe una respuesta a esta carta. Contesta a todas las preguntas.
(100–120 palabras)

¡Hola! ¿Cómo te va? Me dijiste que habías ganado el sorteo extraordinario ....
quiero saber algo de tus vacaciones. ¿Adónde vas a ir este año que viene?
¿Con quién irás ? ¿Cómo vas a ir y cuánto tiempo dura el viaje?
Descríbeme el sitio - ¿cómo es?, ¿qué harás allí?
Con ganas enormes de recibir tus noticias un abrazo fuerte ...

c Imagina que ya estás allí. Recibes este formulario.

La Oficina de Turismo ecuatoriano le pide el favor de contestar por escrito
a las preguntas siguientes.

¿Qué le gusta hacer durante las vacaciones en general? (30 palabras)
....

¿Qué ha hecho durante su visita a las Islas? (30 palabras)
....

¿Qué opina de su alojamiento y de las facilidades ofrecidas? (30 palabras)
....

¿Le gustaría volver aquí? ¿Cómo se podría mejorar? (30 palabras)

....

d Durante las vacaciones viste un accidente.
Tienes que escribir un informe para la
compañía de seguros. Incluye los detalles
de dónde y cómo ocurrió, el daño
sufrido, si alguien resultó herido, y lo
que hiciste tú.

Oriéntate 3B · · · · · · · · · · · · · · · · · ·

1 Opiniones (2)

¿Qué te parece / parecía / pareció ...?
¿Qué piensas de ...?

Lo que	más	me gusta / gustó	me entusiasma	me disgusta / molesta
	menos	me importa	me encanta	me choca
		odio / detesto	me divierte	me aburre / fastidia
		me da vergüenza	me fascina	me enfada / cansa
		me quejo de		

(Des)afortunadamente   me entiendo bien / mal con   me llevo bien / mal con
Francamente   lo hiciste adrede   disculpa   a lo mejor   (no) vale la pena
Estoy harto de / en contra de / a favor de / apasionado/a por / fanático/a de

2 Otros pronombres – los indirectos

me   Mis padres **me** dieron un reloj fino para mi cumpleaños.

te   ¿Qué más **te** dieron tus amigos?

le   **Le** dieron una sorpresa grande – una fiesta.

nos   Y **nos** dieron una noche tranquila porque era en casa de un amigo.

os   ¿Qué **os** parece la idea?

les   No te preocupes, **les** pareció buena idea.

Mis padres van a dar**me** un reloj fino.
Mis padres **me** van a dar un reloj fino.

¿Sabes lo que van a dar**te** tus amigos?
¿Sabes lo que **te** van a dar tus amigos?

Cuidado cuando hay dos pronombres en la misma frase:
¿Has dado <u>el regalo</u> <u>a tu hermano</u>?
Sí, **lo** he dado <u>a mi hermano</u> esta mañana.
Sí, **le** he dado <u>el regalo</u> esta mañana.
Sí, **se lo** he dado esta mañana.

<u>Este plato</u> está sucio.
En un momento **se lo** traigo limpio señora.
Voy a traér**selo** limpio en un momento señora.
Tráe**melo** limpio en seguida jovencito.

3 Como decir lo que pasa continuamente

Presente	Pasado		
estoy	estaba		
estás	estabas	jugar → jugando	
está	estaba		
estamos	estábamos	comer → comiendo	
estáis	estabais		
están	estaban	subir → subiendo	

leer → leyendo
dormir → durmiendo
bañarse → bañándose

También se puede hacer lo mismo con otros tiempos.
Ejemplo:
en el futuro – estaré jugando
o condicional – estaría jugando

Taller 3B

1 Opiniones

a Escucha y anota su opinón sobre:
- el tiempo británico
- el problema del tráfico
- las normas del colegio.

b Habla de unas vacaciones desastrosas o magníficas.

c ¿Cuántos problemas puedes ver en el dibujo? ¿Qué opinas?

2 Pronombres indirectos

Copia y completa las frases con el pronombre indirecto adecuado.

1 ¿Has hablado con tu hermano?
  Sí ___ llamé por teléfono ayer.
2 Mi hermana ___ dio un regalo bonito.
3 ¿Has escrito a los abuelos para dar ___ las gracias? Sí ___ escribí enseguida.
4 ¿Qué es lo que quieres decir ___?
  ___ quiero decir la verdad.

5 Necesito este libro urgentemente.
  Dá ___ enseguida.
6 Esta cuchara está sucia. ___ cambio enseguida.
7 ¿Te gusta este chaleco? Voy a comprar ___ como regalo.
8 ¿Quieres explicarme lo que pasa?
  Espérate. Dentro de un rato ___ digo.

3 Lo que pasa

a Escucha y anota a cuál de las imágenes describe.

b A turnos con tu compañero/a pregúntale lo que estaba haciendo ayer.

c Escribe lo que está pasando hoy.

d Escucha. Copia y rellena los huecos.

Estamos ___ al final de las vacaciones: estamos ___ en la piscina y ___ rico en el camping. Ayer a esta hora estábamos ___ y ___ ¿te acuerdas? Claro y en una semana estaremos ___ ¿Qué te parece? ¡Terrible! Por falta de dinero hay que trabajar – si no, estaría ___ toda la vida. Yo que tú estaría ___. ¡A la luna tal vez!

Investigación 3

Colombia – país de contrastes

El escenario

La oficina de turismo donde haces tu práctica laboral quiere organizar una visita a Colombia. Te han pedido el favor de rebuscar la información necesaria y preparar la publicidad para promocionar la idea.

● Los Santanderes

● Amazonas

● Museo de oro

Colombia
tu nuevo destino!

● Bogotá

Tareas en grupos

1 Hay que preparar:
   - una serie de afiches
   - un folleto
   - un anuncio para el periódico regional donde trabajas
   - una serie de propagandas para la radio local

2 Hay que escuchar a los turistas que hablan.

3 El informe debe incluir ...
   - la situación geográfica - clima
   - una descripción del país - habitantes - comida - idioma
   - las facilidades - alojamiento - turismo
   - problemas - sociales - políticos

Hay que atraer a una variedad de clientes:

los que buscan

la aventura

el descanso con paz y tranquilidad

el eco turismo

la distracción animada

● Zona cafetera, Noroccidente

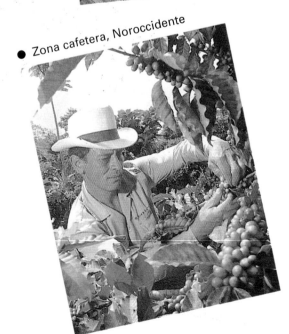

Colombia

República democrática – elecciones presidenciales cada 4 años

Superficie: 1,138,400 km2

Población: 35.8 millones
(14 millones menos de 18 años)

Capital: Bogotá

Moneda: peso

Idioma: español

Productos: café, flores, frutas, carbón, esmeraldas, artesanías

Clima: verano = sequía, dic./ene. – jul./ago.
invierno = lluvia, ab./ma. – oct./nov.

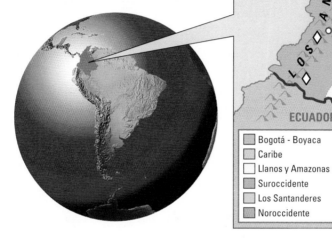

Providencia
San Andrés
Santa Marta
Barranquilla
Cartagena
Mar Caribe
Lago de Maracaibo
VENEZUELA
Cucuta
Bucaramanga
Océano Pacífico
Medellín
⊚BOGOTÁ
COLOMBIA
Cali
ECUADOR
BRASIL
PERU
Leticia

Exportaciones	
■ Bogotá - Boyaca	✿ Flores
□ Caribe	● Café
□ Llanos y Amazonas	✿ Plátanos y otras frutas
■ Suroccidente	■ Carbón
□ Los Santanderes	◇ Esmeraldas
■ Noroccidente	♘ Artesanías

Se trata de seis países en uno: el andino, montañoso que reúne todos los climas del mundo; el selvático, húmedo tropical más lluvioso del planeta; el costero con más de 3,000km sobre dos océanos; el de las nieves eternas; el de las vastas y ardientes llanuras; el de las aguas infinitas de lagos, ciénagas, ríos, bosques de niebla y cascadas.

● Guacamayas

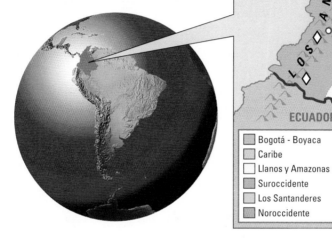

● Una chiva

● San Agustín, Suroccidente

● Caribe

25 **Es mi vida** ●

Ya estamos

| METAS | ● personalidades ● amistades ● relaciones |

1 **Mis amigos y yo**

a Escucha a Pili.

Me preguntaste acerca de mis amigos, pues ...

b Anota el orden de cada frase. Reorganízalas y escribe la carta de Pili.

tengo mucha suerte

y la misma clase de música

eso es lo que más importa entre amigos

me encantan las personas abiertas, generosas, y animadas

lo mejor es que nos gusta el deporte

me chocan las que son tacañas, holgazanas o demasiado combativas

lo peor será cuando empiecen los amores más serios

oJo

lo bueno / lo malo
lo mejor / lo peor
lo que más importa
me encanta / me choca

c Di cómo es una persona que …
Ejemplo: 1 = es abierta
1 no tiene secretos
2 no hace nada
3 no ofrece nada
4 es muy viva
5 siempre quiere discutir
6 da muchos regalos

2 **Una carta de Guillermo**

a Lee la carta.

bueno te cuento que a los 13/14 años siempre me sentía <u>incómodo</u> en compañía de las chicas – tenía <u>granos</u> en <u>la barbilla</u> en vez de barba y era demasiado <u>flacucho</u>. Ahora no sé por qué, me siento mucho más cómodo y <u>hasta</u> conozco a una chica que me interesa bastante. Creo que ella también <u>siente</u> lo mismo. <u>Lo bueno</u> es que siempre salimos en el mismo grupo del club de surf pero <u>lo malo</u> es que no <u>me atrevo</u> a invitarla a salir conmigo. Es una chica <u>risueña</u>, dulce pero a la vez algo ambiciosa así que tendré que ser <u>detallista y discreto</u> para con ella. Cuéntame de tu vida romántica. ¿Tienes alguna enamorada o continúas siendo el mismo de siempre – ¡deportista a morir?

 b ¿Qué significan las palabras subrayadas?

c Contesta la carta.
▼ no más de 60 palabras
▲ no más de 120 palabras

3 **El buzón de las amistades**

a Escucha e identifica la ficha.

b ¿Cuál te conviene a ti? ¿A cuál escogerías para tu compañero/a?

A Soy bastante tímido todavía y me gustan las personas pacientes y modestas.

B Prefiero las personas serias, organizadas y seguras de sí mismas.

C Escríbeme si eres vivo, hablador y divertido porque así soy yo.

D Quiero cartearme con chicos / chicas aventureros, audaces y enérgicos.

4 El buzón de la tía Tula

a Lee y escucha. ¿Qué solución aconsejan?

A
Querida tía Tula
¿Qué debo hacer? Mis padres no me dejan salir nunca con el grupo si hay chicos. Siempre tengo que salir con mis hermanos mayores y ellos me cuidan mucho. Tengo 15 años y soy completamente inocente. Ni siquiera sé cómo hablar con un chico de mi edad. Teresa. Avila.

- Escápate una noche de la casa y sal a una disco.
- Trata de hablar con tus hermanos y explícales lo que sientes.
- Habla con tus amigas en la escuela.

B
¡Ayúdame tía Tula por favor!
Soy hijo único; mis padres me quieren mucho pero siempre están ocupados trabajando y no me hablan y no salimos a ninguna parte. Casi no tengo amigos y me siento muy solo. Javier. Lérida.

- Invita a unos amigos y amigas a tu casa.
- Hazte socio de un club juvenil o deportivo.
- Escríbeles a tus padres una carta diciéndoles cómo te sientes.

C
Hola amigos / amigas de tía Tula
Quiero que sepáis que no todos los padres son ogros ni cosa seria. Mis padres no me controlan en nada. ¡Puedo salir cuandoquiera adondequiera con quien sea! Este es mi problema – ¿qué les parece? Bernardo. Madrid.

- Sin duda alguna tienes un problema. Trata de imponerte tus propias reglas y horario.
- Diviértete todo lo que puedas – ¡fiestas todas las noches!
- Habla con tus profesores y pídeles consejos también.

D
Tía Tula, ¿cómo hago?
Estoy saliendo con una chica pero sólo para darle celos a mi ex-novia. Ella es muy dulce y tierna y ahora no sé cómo decirle la verdad. No quiero trastornarla. Aconséjeme. Juan Pablo. Cáceres.

- Corta con ella lo más pronto posible.
- Dile que quieres continuar como amigos, nada más.
- No tienes más remedio. Hay que decirle la verdad.

E
Imagínese tía Tula
Tengo 15 años y muerdo mis uñas todavía. Sé que es un problema común y no es tan grave pero me tiene loca. No puedo pararme. He tratado mil soluciones pero en balde. ¿Qué hago? Ana. Barcelona.

- Ponte unos guantes así será más difícil.
- Cómete caramelos o chicle.
- Trata de relajarte y verás que no las muerdes.

b ¿Tú crees que es la mejor solución? Di lo que aconsejarías tú.

c Escribe a tía Tula con un problema verdadero o inventado.

d ¿Qué tal la solución ofrecida? Di si estás de acuerdo o no.

5 ¿… y de los padres qué …?

¿Qué piensan los padres de los amigos de sus hijos?
Escucha y rellena las casillas.
Ejemplo:

Número	▼ buena / mala influencia	▲ razón
1	buena	cortés y amable

6 El maltrato y la intimidación …

… existe en todos los colegios del mundo. Unos matones creen que pueden cometer actos de agresión contra otros. Les amenazan o les quitan su reloj, una chaqueta de valor, su walkman o bambas de marca, o su dinero. Muchas veces cogen a escolares entre 11 – 16 años que se sienten tímidos y no demuestran confianza en sí mismos. La mayoría del tiempo las víctimas se quedan calladas por miedo a represalias.

Poco a poco se vuelven cada vez más ensimismadas y hasta llegan a perder el apetito o hasta sentirse culpable de lo que ha pasado. No se atreven a denunciar el delito.

a Lee el artículo y completa las frases.
1 Un matón es una persona que ….. .
2 Un matón suele ….. .
3 Muchas veces las víctimas son ….. .
4 No hablan de lo que les pasa porque ….. .
5 A veces ocurre que ….. .

b Contesta. ¿En al colegio …
1 alguien te ha intimidado alguna vez?
2 tú has intimidado a alguien alguna vez?
3 conoces a algunas/os que lo hacen?
4 conoces a alguno/a que ha sido víctima?

7 ¿Qué se puede hacer?

Escucha. ¿Estás de acuerdo o no con estos consejos?

- Habla a un profesor.
- Deja tus cosas de valor en casa.
- Vístete en ropa normal para el colegio.
- Haz lo que te dicen.
- No les hagas caso.
- No vayas al colegio con tu walkman.
- No te calles el problema.
- No te quedes solo/a durante el día.

8 ¿Cómo te sentirías si …? ¿Qué harías si …?

Te quitan el dinero.

Te saltan en la cola en la cafetería.

Te 'prestan' el walkman y no te lo quieren devolver.

Te fuerzan a fumar en los retretes.

Te sacan el pie adrede y te caes.

Te amenazan con una navaja / un cuchillo.

Te insultan a ti o a tu familia.

Maltratan a un minusválido.

a Trabaja con tu compañero/a.
Discute lo que harías o cómo te sentirías.

b Da unos consejos a una víctima.

¿Te ayudo?

hablaría a …
trataría de …
me sentiría …
estaría …
Yo que tú no llevaría … / no iría …

9 El amor a primera vista

a Lee y apunta tu opinión.

❶ ¿Crees en el amor a primera vista?
a sólo pasa en las películas
b sí pero a mí no me pasaría nunca
c yo sí creo

❷ ¿Qué te parece más cierto?
a el amor es ciego
b el amor es más fuerte que la muerte
c el amor no existe

❸ ¿Te has enamorado de una persona famosa?
a enormemente
b a veces me siento atraído/a
c no me pasa nunca

❹ ¿Crees que los horóscopos te dicen la verdad?
a convencida
b tal vez
c absurdo

❺ Si te caes y alguien simpático te ayuda, ¿qué dices?
a 'Es mi destino – el amor de mi vida.'
b 'Gracias que me llegó una ayuda.'
c 'Qué amable eres.'

❻ ¿Has sufrido un fracaso sentimental?
a hace tiempo
b nunca
c no tengo suerte con el amor

amor es...

... ir juntos para casa después de las clases

Dicho
Antes que te cases, mira lo que haces

b Cambia tus apuntes con tu compañero/a. Discute las respuestas.

c ¿Cómo os clasificáis?

● Te enamoras fácilmente.
● Eres romántico/a a morir.
● Eres una persona prudente.
● Eres cínico/a en asuntos del corazón.

10 ¡Qué me lo crean o no – así me pasó!

a Lee los cuentos A y B. Anota y aprende las palabras que no conoces.

A Amor de ascensor

Era un día común y corriente – excepto que me había roto la pierna y andaba en muleta. Da la casualidad que un chico al cual admiraba desde hace un tiempito para acá se le había roto la suya también. Nos tocó subir en ascensor en el colegio y ¡qué milagro! ese día se dañó y allí nos quedamos encerrados …. una hora por lo menos … hasta que lo arreglaron. Por fin nos tuvimos que hablar el uno al otro y seguimos hablando y riendo de nuestra historia … ¡Ojalá pasaran cosas extrañas así más a menudo!

b Explica el cuento a una persona que no lo ha oído antes.

c Imagina la conversación entre ellos. Escríbela y grábala.

B Amor por ordenador

Erase una vez dos estudiantes. No conocían a mucha gente y por eso decidieron responder a un cuestionario de la agencia 'Tu pareja ideal por ordenador'. Al rellenar el formulario descubrieron que ambos estaban buscando al mismo tipo de persona. No hicieron mucho caso de esto. En esos días X estaba saliendo con una persona interesante pero Y no salía con nadie. Dentro de 15 días cada uno recibió una lista de nombres y qué sorpresa al descubrir que el nombre del amigo interesante aparecía en la lista de Y. A ver, ¿cómo hago? pensó Y …

d Termina el cuento en tus propias palabras.

11 Amor es …

▼ Inventa unos 'amor es'.
▲ Escribe un poema.

26 ¿Qué esperan de mí? • • • • • • • •

Dicho
En tierra de ciegos
el tuerto es rey

METAS • deberes y derechos • reglas y responsabilidades

1 ¿Quién se queja de quién?

a Lee las quejas de Alejandro y su familia.

b Escucha y clasifica.

padres	jóvenes

c ¿Cuáles son las quejas más graves y las menos graves?
¿Hay unas quejas que no se justifican?
¿Hay unas que sí?

d Escribe una lista y discútela con tu compañero/a.

e ¿De qué te quejas tú? ¿De qué se quejan tus padres / abuelos?
¿De qué se quejan de ti en tu casa?

No ayudas nunca en casa.

Se han olvidado de su juventud.

Jamás regresas a tiempo.

No quiere ver mi punto de vista.

No sabe lo que es madrugarse.

A veces me dejan solo/a en casa.

No respetan a los mayores.

Nunca tengo suficiente dinero.

No les gustan mis amigos.

Aquí quien manda soy yo.

oJo

Es justo / injusto
(No) estoy de acuerdo
(No) tiene razón
Es mentira
Es verdad

2 ¡Ay caramba!

a Lee las frases siguientes y reorganízalas.
1 ¿camisa has tiempo planchar mi tenido de?
2 después voy a tarde disco regresar la de
3 nuevos unos comprar zapatos necesito
4 ¿cuenta visto la de has última teléfono?
5 ¿hora cuenta la de das te?
6 banco esto tú que crees un es
7 de baja volumen el música la
8 ¿tareas terminado las has?

b Verifica tus respuestas.

3 ¿Qué están diciendo?

a Escucha e identifica la escena.

b ¿Cuáles son sus reacciones? ¿Cómo te parece?
▼ Escribe una frase para los padres y otra para los hijos.
▲ Escribe el escenario para cada dibujo.

¿Te ayudo?

Voy a	regresar a ... recoger mi cuarto fregar los platos ....
¿Qué	hora es? estás haciendo?

Dijiste que ... / Habías dicho que ...
Prometiste que ... / Habías prometido que ...

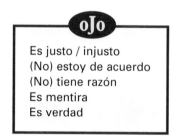

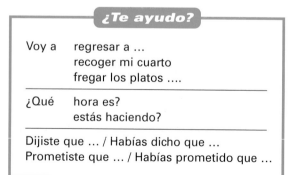

4 Normas y reglamentos

a Empareja las señales con una frase adecuada.

No tires basura
No entres
No fumes
No salgas   No jures

b ¿Cuál te parece la mejor forma de indicar un reglamento?
- No fume
- Por favor no fumar
- Se le ruega que no fume
- Prohibido fumar
- No se permite fumar

c Escoge una manera diferente para expresar cada señal. Inventa otras si puedes.

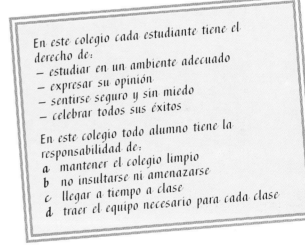

5 ¿Tienes buena memoria?

a ¿Te acuerdas de tu primera escuela? Escucha y anota tres aspectos felices y uno no tanto.

b ¿Y en tu colegio hoy en día? En grupos discute y anota tres aspectos positivos y tres negativos.

c Escribe unas normas para cada uno.
Ejemplo:
Mi colegio es / está muy limpio. ✓
Mi colegio es / está bastante sucio. ✗
Hay que mantener el colegio limpio de papeles, grafiti y basura.

Haz unos dibujos para ilustrar tus ideas a mano o en el ordenador.

es importante   debemos   es menester

¿Te ayudo?

¿Es limpio / sucio?
¿Hay muchos / pocos castigos?
¿Es ruidoso / tranquilo?
¿(No) hay uniforme?
¿Tiene biblioteca / cantina / campo de deporte?

6 Derechos y deberes

¿Hay unos que se complimentan? Inventa otros ejemplos.

En este colegio cada estudiante tiene el derecho de:
– estudiar en un ambiente adecuado
– expresar su opinión
– sentirse seguro y sin miedo
– celebrar todos sus éxitos

En este colegio todo alumno tiene la responsabilidad de:
a mantener el colegio limpio
b no insultarse ni amenazarse
c llegar a tiempo a clase
d traer el equipo necesario para cada clase

7 Mi colegio ideal

a En grupos discutid y desarrollad vuestras ideas.

b Escribid las normas para este colegio ideal.

habría   no habría   tendría
sería   jugaría   estudiaría

c Comparad vuestras ideas con la situación actual. ¿Qué opináis? ¿Cómo creéis que podéis influir las cosas o hasta cambiarlas?

8 Edades y leyes

a Lee y clasifica.
- a los catorce años
- a los dieciséis años
- a los dieciocho años

En tu país, ¿a qué edad se les permite ...
- dejar el colegio?
- casarse si los padres están de acuerdo?
- trabajar ciertas horas?
- tener relaciones sexuales?
- vivir a solas?
- beber alcohol en un lugar público?
- fumar?

- votar?
- quedarse solos/as en casa?
- sacar el permiso de conducir un coche?
- conducir una moto?
- escoger con quién prefieren vivir si los padres son divorciados?

b Mira los dibujos y empareja las leyes con los dibujos.

 c ¿Qué opinan? Escucha y rellena las casillas.

Número	ley / aspecto	▼ de acuerdo / desacuerdo	▲ opinión / detalle

d ¿Y tú qué opinas? Discute y compara tus opiniones con tu compañero/a. ¿Hay algunas leyes más que tú crees que se deben imponer?

¿Te ayudo?

Es una tontería
Es buena idea
Es ridículo
No es justo / Es injusto
Es demasiado joven

9 Nuestro reportero escribe

a Lee el pasaje. Anota y aprende las palabras que no conoces.

Entrevista juventud en paro = juventud callejera. ¡Qué desperdicio!

Ayer por la tarde, muy tarde, decidí dar una vuelta por el centro de la ciudad sin rumbo fijo – a ver lo que encontraba. Primero tropecé con Pablo (15 años) cuya madre le había echado de casa. Allí estaba medio dormido en el portal de un almacén sin saber adónde dirigirse ni a quién acudir. Me senté a su lado y comenzamos a hablar. La suya es una historia que he oído antes – demasiado a menudo a decir la verdad. Su madre le había dicho que al cumplir los dieciséis años tenía que ganarse la vida. Eso no lo encontró fácil y después de un rato discutieron y pelearon y Pablo se salió de la casa – sin diplomas, sin dinero, sin comida, sin nada. «¿Qué hay en la vida para una persona como yo? ¿Quién me ayuda o me ampara? ¿A quién le importa un bledo si existo o no? Soy una estadística nada más – uno de los tantos jóvenes parados sin esperanza.»

b Prepara y graba una entrevista con Pablo.

c Escribe / Relata lo que le pasó ayer – su día entero.
▼ Escribe unas seis frases – tres por la mañana y tres por la tarde.
▲ Cuenta su día entero en no menos de 80 palabras.

10 Según Unicef

a Lee.

unicef

Cada niño tiene el derecho a:
una nacionalidad
un nombre
una educación gratuita
la protección contra la violencia y
la explotación sexual
un nivel de vida adecuado
jugar libremente
la protección contra las drogas
la libre expresión de sus opiniones

b En grupos di si estás de acuerdo con esto. ¿Es una realidad o un sueño?

11 En el año 2100

Imagina que un desastre ha pasado al país y sólo quedan pocos adolescentes en cada ciudad. Tenéis que formar una nueva vida social. ¿Cuáles leyes vais a tener para vuestra ciudad?

27 ¿Qué me espera?

METAS ● mi vida en el futuro ● la vida futurística

1 ¿Qué tal la práctica laboral?

Escucha a Guillermo y a sus amigos. ¿Qué tal les resultó su práctica laboral?
▼ ¿Bien o mal?　▲ Da unos detalles.

2 ¿Cómo seré yo?

a Escucha a Elena. Copia y rellena los huecos con una palabra adecuada.

En este momento soy —1— y vivo con mis padres. Estoy estudiando en —2— cursando el segundo ciclo del ESO. Dentro de —3— años estaré estudiando en —4—. Me gustaría estudiar —5—. Dentro de —6— años – ¿casa? ¿gemelos? ¿vida —7—? ¿ambos? Cuando tenga 50 años, ¿cómo seré yo? ¿Tendré —8— canoso? ¿Tendré —9— arrugada? ¿Llevaré —10—?

la universidad　soltera　gafas　el pelo　el instituto
quince　medicina　la cara　cinco　profesional

b Lee la carta de Alejandro.

Hoy en día estoy contento estudiando en el colegio preparando el bachillerato. Pero me gusta la música tanto que no sé si seguir con una carrera tradicional para estar seguro de ganar mi vida o si arriesgarme un poco y hacer lo que me llama la atención.

c ¿Tú qué opinas? Discute con tu compañero/a. Decide por él.

¿Te ayudo?

Dentro de cinco años
¿Qué será de él?
¿Estará estudiando / trabajando / cantando?

d Escucha. ¿Tu decisión coincide con la de Alejandro?

3 En el año 2020

Escucha a los jóvenes imaginando su vida futura. ¿Cuántos años tendrán en el año 2020? ¿Cómo serán? ¿Qué estarán haciendo?

4 Un poco de imaginación

a Escribe cómo serás, cuántos años tendrás y qué estarás haciendo en el año 2020.

b Predice a tu compañero/a ¿cómo será dentro de cinco o 20 años? Muéstrale tus ideas. ¿Está de acuerdo? Discute las diferencias si las hay.

Preguntas claves

¿Qué harás? ¿Qué estarás haciendo?
¿Dónde vivirás? ¿Dónde estarás viviendo?
¿Qué tipo de empleo tendrás?
¿Qué curso estarás siguiendo?

5 ¿Qué esperas del siglo 21?

a Lee el artículo.

¡De aquí a unos años habrá mucho trabajo pero no empleo!

Según un estudio reciente cerca de las tres cuartas partes (¾) de los estudiantes que han realizado prácticas en empresas durante sus últimos años de estudios obtienen un empleo o en esta misma empresa o por conexiones con ella. El 84% de los estudiantes entrevistados se declararon a favor y dijeron que recomendarían a sus compañeros una experiencia similar.

Por su parte los empresarios reconocen que los trabajos que hacen los jóvenes en estas prácticas son útiles para la empresa porque no sólo aportan nuevas ideas sino también ayuda a la empresa en su selección más tarde. Todos están de acuerdo que la maduración del joven aumenta gracias a esta primera experiencia.

Unos pocos estudiantes cuentan con la suerte para ganar su primer puesto o empleo y otros con el apoyo de la familia. La mayoría dice que un diploma es importante pero lo que más vale son las cualidades personales de cada cual. ∎

b Anota y aprende las palabras que no conoces.

En el primer párrafo busca una frase o palabra que significa lo mismo que:
1 aproximadamente 75%
2 unos años antes de terminar de estudiar
3 estaban de acuerdo con
4 una temporada parecida

c Explica en tus propias palabras lo que significa:
5 de aquí a unos años
6 según un estudio reciente
7 que han realizado
8 por conexiones con ella

d ¿Y tú qué opinas de la práctica de empresas o práctica laboral? Discute tus ideas con tu compañero/a.

6 Castillos en el aire

a Mira y lee los ejemplos.

Si tuviera una moto podría llegar más rápido al trabajo.

Si ganara la lotería compraría una isla en el Caribe.

b Ahora completa las frases para los otros.

1 Si me graduara …

2 Si fuera modelo …

3 Si fuera director de empresas …

4 Si fuera primera ministra …

5 Si no tuviera exámenes …

6 Si tuviera más tiempo …

c Un poco de imaginación. ¿Qué castillos puedes inventar tú?

7 A golpe de microchip

a Escucha a los jóvenes hablando del futuro.
Empareja las frases con los dibujos.

1 Coches que corren con energía
   solar / agua / electricidad / pilas
2 Ordenadores que hacen de todo
3 Robots que ayudan en casa
4 Pastillas en vez de comida
5 Teléfonos vídeo portátiles
6 Teleputer
7 Libros parlantes
8 Cámaras de circuito cerrado

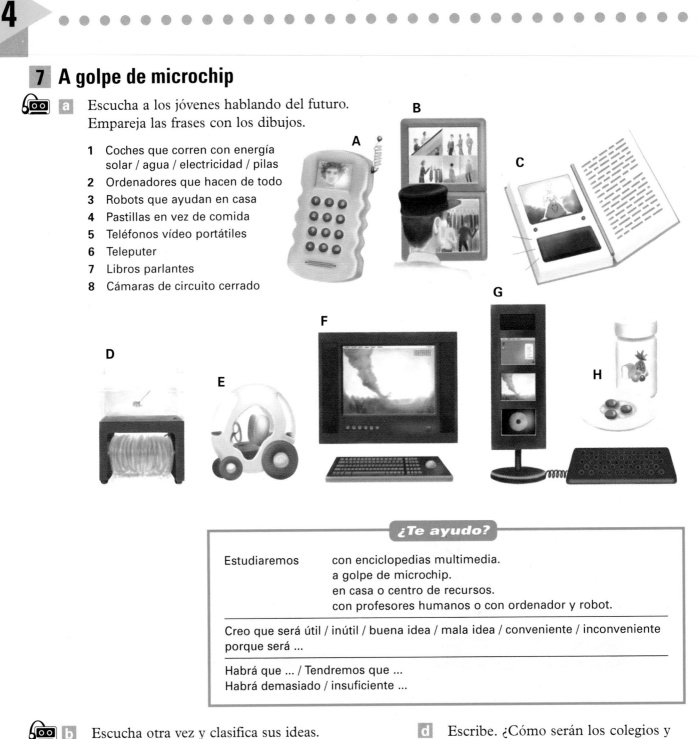

A B C D E F G H

¿Te ayudo?

Estudiaremos   con enciclopedias multimedia.
                a golpe de microchip.
                en casa o centro de recursos.
                con profesores humanos o con ordenador y robot.

Creo que será útil / inútil / buena idea / mala idea / conveniente / inconveniente
porque será ...

Habrá que ... / Tendremos que ...
Habrá demasiado / insuficiente ...

---

b Escucha otra vez y clasifica sus ideas.
- habrá / no habrá …
- habrá más de …
- habrá menos de …

c ¿Tú qué opinas? En grupos discutid si habrá …
– guerras / sequías / huracanes / terremotos.
– gente vieja / gorda / flaca.
– colas en el supermercado.
– enfermedades como el SIDA.

Inventa más ejemplos.

d Escribe. ¿Cómo serán los colegios y
universidades? ¿Cómo aprenderás?

e Un poco de imaginación.
Inventa algo futurístico.
- una casa
- una comida
- unos pasatiempos
- un colegio
Describe tu invención a la clase.
Graba tus ideas en una casete.

8 Rumbo a Marte

 a Lee. Anota y aprende 20 palabras nuevas.

A

Quiera o no quiera ya estamos en camino a realizar un sueño que hasta hace poco parecía fantasía. Uno de estos días podremos vivir en el planeta rojo. ¿Por qué este planeta? Va en contra de la realidad. Hay temperaturas de 50 grados bajo cero, con una gravedad mucho menor que la de nuestra tierra, con una atmósfera tan fina que no logra retener los pocos rayos del sol que llegan, para mantener caliente la superficie.

B

¿Sí hubo vida? ¿Los marcianos existen? Científicos por todo el mundo mantienen la teoría de que existió vida hace 3,87 billones de años después de haber analizado un meteorito que encontraron en la Antártida en 1984. Dicen que sí hubo agua líquida – condición básica para que se pueda desarrollar la vida.

C

¿Cómo será posible crear las condiciones adecuadas para que el ser humano pueda habitar el planeta rojo? Haciéndolo más húmedo y cálido – imitando las condiciones en las que surgió la vida en Tierra – la terraformación … . Tardará cientos de miles de años pero dicen que lo pueden apresurar siguiendo varias fases y así es posible que tome sólo 900 años para que sea una realidad.

D

Construirían un inmenso espejo de 125 km de ancho suspendido a 214.000km de Marte que reflejaría y aumentaría la luz del sol – casi el doble de la energía que produce el ser humano en la Tierra. Después de unas decenas de años se calentaría la superficie, la capa polar desaparecería, se derretiría el hielo y los ríos volverían a fluir y la presión atmosférica aumentaría en el planeta.

E

Cuando esté un poco más caliente es posible que las bacterias marcianas vuelvan a la vida. Si no, se podrían introducir bacterias de la Tierra que no necesitan oxígeno – las anaerbias - que podrían crear una biosfera muy similar a la de los primeros tiempos de la Tierra. Se crearían en el espacio o en los propios planetas bases con biosferas cerradas que renovarían su aire y agua.

F

Ya conocemos a Mars Pathfinder. Pronto habrá Mars Surveyor previsto para diciembre 98 que medirá los cambios en la superficie. También habrá Mars Surveyor 98 Lander que informará sobre las condiciones climáticas del polo sur marciano. Irá equipado con una pequeña sonda – New Millenium Program – que tomará muestras de la superficie. Hay más misiones planeadas por los japoneses y por los rusos. (Así que mira este espacio …)

b Escucha y escoge la frase o palabra adecuada del texto A y B. Escribe la frase correcta.
1 Uno de estos días podremos vivir en el planeta verde / rojo.
2 Hay temperaturas de 50 / 80 grados bajo cero.
3 ¿Los marcianos / mariachis existen?
4 Existió vida / marcianos hace billones de años.
5 Dicen que sí hubo agua sólida / líquida.

c Busca en el texto C una frase o palabra que significa lo mismo que:
1 acondicionar
2 demorará muchísimos años
3 hacerle ir más rápido
4 algo que existe de verdad

d Busca en el texto D y E una frase o palabra que significa lo contrario de:
1 muy pequeño
2 disminuiría
3 enfriaría
4 vuelvan a morir
5 bastante diferente

e En grupos discute el tema: 'El explorar el espacio es una pérdida de tiempo y un malgasto de recursos'.

f Rebusca en la biblioteca o en el CD Rom información sobre el Mars Pathfinder.
▼ Escribe unas seis frases.
▲ Escribe un párrafo de unas 60 palabras.

LA DECLARACIÓN universal de derechos humanos, Artículo dos Todos tenemos los derechos y libertades acordados en esta declaración, sin distinguirse de ninguna manera en cuanto a la raza, color, sexo, idioma, religión, opinión política u otra, origen nacional o social, propiedad, nacimiento o estatus.

1 Primeras impresiones

a Mira este grupo de personas muy distintas. Di cómo son.

b ¿Qué crees que hacen en la vida (empleo / intereses / deportes)?
▼ Para cada persona escribe una lista.
▲ Escribe unas frases.

c Cambia tu papel escrito. ¿Tu compañero/a tiene las mismas ideas que tú? ¿Qué diferencias hay? Discútelas con él / ella. ¿Qué opinas ahora de tus primeras impresiones?

d Escucha. ¿Tenías razon, sí o no? Apunta las diferencias si hay.

1 2 3 4 5 6 7

¿Te ayudo?

al principio / primero / antes de pensarlo bien
más tarde / al poco rato / después de pensar un poco
Me he equivocado / Me equivoqué
(No) tenía razón / (No) tuve razón

2 Vivir la vida

a Escucha. ¿Cuál de las fotos se describe?

b Imagina la vida en uno de los otros grupos. Escribe unos apuntes en borrador.

¿Qué habría / tendrías en tu casa?
¿Cómo sería tu rutina diaria?
¿Cómo pasarías el tiempo?
¿Qué harías?

c Explica a tu compañero/a lo que imaginas.

d Escribe sobre una de las fotos.
▼ unas seis frases
▲ unas 60 palabras

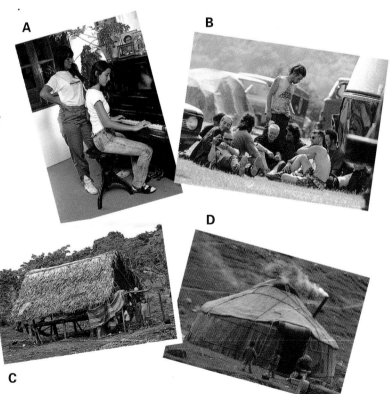

A

B

C

D

3 Oportunidades para todos

a Mira las fotos. ¿Cuántas nacionalidades distintas se ven? ¿Cuáles son?
¿Qué diferencias se notan – en las caras, el uniforme, …?
¿Qué dificultades puede haber para ellos en tu colegio?

 b Escucha a un grupo de estudiantes hablando y expresando sus opiniones. Anota tres aspectos positivos y tres negativos.

c Dibuja un plan de tu colegio. ¿Qué estorbos y obstáculos hay para una persona minusválida? Haz una lista y sugiere una solución.
Ejemplo: No hay ascensor. Habría que instalar uno.

> **¿Te ayudo?**
>
> antes de poder …
> sería necesario …
> tendríamos que …
> habría que …

4 Nos encanta tener dos culturas

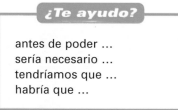 Escucha y anota.

nacionalidad	orígen	paises donde ha vivido	idioma

5 Un poco de imaginación

Trabaja en un grupo de cinco personas.
¿Cómo es el joven?
¿Por qué crees que está corriendo?
¿La señorita adónde va?
¿Por qué está corriendo?

6 Las religiones del mundo

Mira el mapa y contesta a las preguntas.

1 ¿En tu clase o curso cuántas religiones diferentes se practican?

2 ¿Cuáles son?

3 ¿Sabes cuáles son las religiones mayoritarias en la India, la China y en América Latina?

4 ¿Puedes nombrar los paises donde se practica más el Islam?

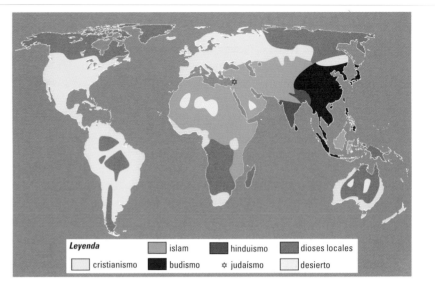

Leyenda islam hinduismo dioses locales cristianismo budismo ☆ judaísmo desierto

7 Barcelona se moviliza

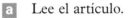 **a** Lee el artículo.

b ¿Conoces otras ocasiones como ésta? Descríbela a tu compañero/a.

Barcelona se moviliza con una fiesta contra el racismo

Ciudadanos

Más de 4.000 personas participaron en una 'pitada contra el racismo'.

La jornada tenía como objetivo sensibilizar a la población catalana sobre los peligros que comportan actitudes racistas y de intolerancia en general. Con pitos – caramelos previamente repartidos – miles de personas aprovecharon la jornada festiva 'Todos somos niños, todos somos iguales' hasta los barcos en el puerto y las campanas de las basílicas de Nuestra Señora de la Mercé. El plato fuerte era una ludoteca infantil que congregó a centenares de niños de todas las razas.

8 Rebusca

En tu colegio debe haber una intención de igualdad de oportunidades para todos. Léela y trata de explicarla a una persona española.

9 Un poco de imaginación

¿Tú qué dirías?

▼ Escribe unas seis frases.

▲ En tus propias palabras cuenta lo que pasa.

10 Maja, su historia

a Lee y explica las palabras subrayadas.

MAJA, SU HISTORIA

Erase una vez una niña chiquita llamada Maja cuya familia vivía en Sarajevo.

Tenía muchos amigos de todas <u>nacionalidades</u>. Era una familia grande y todos vivían juntos en un apartamento grande cerca de la Plaza Tito. En su familia <u>coexistían</u> con religiones diferentes. Su madre es católica, sus abuelos paternos judíos y ortodoxos, y su cuñado es musulmán. Esta es su historia.

'Lo peor <u>ha ocurrido</u>. Lo que yo más temía ha ocurrido. En mi ciudad está la guerra. Espero que todo esto sea un sueño <u>desagradable</u> y quiero despertarme, pero no logro hacerlo. Me quitó todo lo que amo y me ofreció todo lo que es <u>horrible</u>. Nadie me hará odiar. No puedo odiar. No te puedo odiar porque eres croato musulmán, serbio, judío o gitano.

Quiero a Sarajevo, escuela, amigos y calles grises. Ahora puedo ver cuánto verdaderamente amo a mi ciudad y sus días de invierno con <u>esmog</u>, y sus parques de primavera.'

'Mi ciudad en otro tiempo era más linda. Sus puentes nacieron firmes y fuertes uniendo el amor y la amistad. En ninguna parte el sol brillaba con tanta felicidad. No hay ningún lugar en que el invierno llamaba alegremente a las puertas como solía en la ciudad mía. Con frecuencia mientras ando por Londres y miro las preparaciones para la Navidad, me acuerdo de mi abuela, mis padres y amigos. El anhelo de estar con mis queridos se despierta en mí.'

'Luego sufro. Sufrir es terrible. Muchas noches oscuras paso llorando porque pienso que las lágrimas me pueden ayudar. Estoy tratando de asfixiar el dolor y continuar con mi vida pero es muy duro porque nada es lo mismo. Por todos lados hay caras desconocidas, casas extrañas y sobre mí nubes oscuras. Todo lo que estoy pasando lo estoy pasando a solas.'

'Y allá la guerra continúa. La esperanza se está dejando atrás. Cada mañana me despierto con ella y en la noche me hundo en los sueños esperando que la guerra termine pronto. Me siento mejor cuando hablo sobre mi pasado. Era maravilloso y anhelo de alguna forma u otra alcanzarlo otra vez. Mi presente es

inhumano, espantoso y quiero huirlo. Y mi futuro … espero que sea mejor. Pero dondequiera que esté, sentiré como una parte de Sarajevo porque Sarajevo fue, es y será mi ciudad.'

b Busca la palabra o frase que significa:

lo mismo que	lo contrario de
1 juntando	6 lúcidas
2 alegría	7 dar vida a
3 a menudo	8 muerte
4 los preparativos	9 diferente
5 el deseo	10 conocidas

c Lee las preguntas. Escucha la entrevista y escribe las preguntas en orden.

1 ¿Adónde fuiste?
2 ¿Cuántos años tenías cuando empezó la guerra?
3 ¿Desde hace cuánto tiempo vives aquí?
4 ¿Cómo te sentiste al principio?
5 ¿Cómo pasabas el día?
6 ¿Por qué decidiste salir de tu país?

d Escucha otra vez y contesta.

e Ahora practica el diálogo con tu compañero/a.

f Y el futuro … Imagina cómo será o podría ser y escribe unas cuantas frases.

Extra 4A ●

Mi diccionario (4)

1 Palabras claves. ¿Cuál escojo?

A veces es difícil saber cuál palabra va con cuál.
- Lee la frase entera. Sentirás y comprenderás mejor el sentido.
- Identifica las palabras que ya conoces. (✓)
- Busca otras que se parecen al inglés (1), o que contienen palabras españolas (2).
- Mira las palabras que van a cada lado o alrededor. (?) Identifica su función.

a Lee e identifica las palabras señaladas.

> Bruguera fue superado claramente en la final masculina. Las ilusiones del tenista catalán, que afrontaba como claro favorito la final masculina, desaparecieron ante el juego de un sorprendente Gustavo Kuerten, que en el partido decisivo mantuvo la inspiración mostrada durante el torneo, todo lo contrario que Bruguera.

- Aprende unas frases útiles y practícalas cada vez que puedas.
  Ejemplo:

acabar de		acabo de	
volver a	*¿Qué significan?*	vuelvo a	} pensar en ti
ponerse a		me pongo a	

b Inventa más ejemplos con:

contestar tu carta
hablar con mis amigos
ir al cine
comer un helado

2 Tal vez es un verbo

- Si no encuentras la palabra que buscas en tu diccionario de pronto es un verbo. Entonces busca la primera parte de la palabra pero con el final de **-ar** / **-er** / **-ir**.
  Ejemplo: jugué → jugar, pidió → pedir

  Escribe más ejemplos con: volvieron puedes durmiendo leyendo sirvo

- Para traducirlo correctamente piensa si el pasaje se trata del:

  ¿pasado?   ¿presente?   ¿futuro?

- Trata de inventar un mapa mental de los verbos.

habré hablado   he hablado   voy a hablar   hablaré
        hablé ←
había hablado   hablaba   (hablar)   → hablo → estoy hablando

        estaba hablando

·MAÑAS·MAÑAS·**MAÑAS**·MAÑAS·MAÑAS·

El repaso total para el exámen final

1 Escucha, lee, habla, escribe

- Escoge un tema, por ejemplo 'Mi barrio', 'Mi casa', 'Mi …'.
- Haz una telaraña de palabras.

¿Dónde?   ¿Cuántos?

mi casa

hab.   bño   dorm.

- Inventa tus propias abreviaciones.
- Con tu compañero/a repasa las preguntas claves.
- Graba una casete a solas o con tu compañero/a.
- Imagina que estás hablando con o escribiendo a una persona menor.

2 Habla

¡Consejo importante!

Al principio: Hola / Buenos días /
¿Cómo está usted?

Al final:
Gracias / Adiós / Hasta luego

- Piensa en lo que significan los dibujos y señales. Si no está claro o no lo sabes di …
¿Qué quiere decir X / Y ?
¿Qué significa esto?
… y señala / indica lo que no comprendes.

- Durante los 10 / 15 minutos de preparación …
Repite las palabras y preguntas en voz alta varias veces para acostumbrarte. Muchas veces es más fácil comprender una palabra si la oyes o pronuncias.

3 Escribe

- No desperdicies tu tiempo. Inventa tu propia fórmula.
Ejemplo: 30 minutos =
5 minutos para planear en borrador,
5 minutos para chequear todo al final,
y 20 minutos para escribir.
- ¿Cuántas palabras tienes que escribir?
Ejemplo: 120 total =
20 para empezar / introducción / primer párrafo,
20 para terminar / conclusión / último párrafo, y
60 para la mitad: 2 x 30 / 3 x 20 / 15 + 15 + 30 / cómo tú quieras.

- Trata de mantener un balance entre los puntos requeridos y tu respuesta. Si te indican 30 ✗ 30 ✗ 30 ✗ 30 – así es. Si hay ocho preguntas o puntos = 15 palabras cada uno más o menos.

- Sólo usa el diccionario si de verdad tienes tiempo y crees que es muy importante.

◢ Oriéntate 4A •

1 Prepárate para la entrevista

Cualidades		**Estudios**	**Experiencia**
honesto/a	antipático/a	he estudiado	he trabajado como …
motivado/a	desagradable	estoy estudiando	tuve un empleo
ambicioso/a	infeliz	soy fuerte en	de verano
eficiente	nervioso/a	pasable	a tiempo parcial
flexible	testarudo/a	deficiente	de medio tiempo
optimista	pesimista	he aprobado	de tiempo completo
trabajador/a	terco/a	tuve éxito con	hice un curso de …
paciente	vago/a	fue un fracaso	gané … por hora
equilibrado/a	inquieto/a		no he trabajado nunca
responsable	conformista		

hacer la práctica laboral / de empresas

2 El subjuntivo en el presente se forma así

Los verbos que terminan en **-ar → -e** y los que terminan en **-er/-ir → -a**

hablar:	hablo → hable hables hable hablemos habléis hablen
comer:	como → coma comas coma comamos comáis coman
subir:	subo → suba subas suba subamos subáis suban

Se usa:
- con **cuando** = algo que no ha pasado todavía o va a pasar en el futuro.

Cuando termine mis estudios <u>voy a viajar</u> por el mundo entero.
Cuando vuelva <u>dile que le veré</u> más tarde.
Cuando recibas este regalo yo <u>estaré</u> lejos de aquí.

- con el verbo **querer** (y otros parecidos) que imponen el gusto o voluntad de una persona sobre otra persona.

Compara Quiero hablarte en seguida.
con Quiero <u>que</u> hables conmigo en seguida.

Le ruego <u>que</u> me lo envíen cuanto antes.
(*por escrito en un fax o una carta*)
Te pido <u>que</u> me la mandes lo antes posible.
(*hablando con una persona*)

oJo

tener: tengo → tenga	poner: pongo → ponga
hacer: hago → haga	decir: digo → diga
ir: voy → vaya	saber: sé → sepa
dar: doy → dé	ser: soy → sea
oír: oigo → oiga	estar: estoy → esté
venir: vengo → venga	haber: he → haya

3 El imperativo se forma así

	tú	**vosotros/as**
escuchar	escucha	escuchad
leer	lee	leed
subir	sube	subid

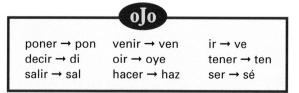

poner → pon	venir → ven	ir → ve
decir → di	oir → oye	tener → ten
salir → sal	hacer → haz	ser → sé

levantarse:	levántate	levantaos
	levántese	levántense
sentarse:	siéntate	sentaos
	siéntese	siéntense

Para usted, ustedes y todas las formas negativas se usa el presente del subjuntivo.

	tú	**vosotros/as**	**usted**	**ustedes**
No	escuches	escuchéis	escuche	eschuchen
No	leas	leáis	lea	lean
No	escribas	escribáis	escriba	escriban
No	pongas	pongáis	ponga	pongan

1 Prepárate para la entrevista

a ¿Cómo te describirías a ti mismo/a?
¿Cuáles son tus cualidades principales?

b Describe a tu compañero/a.
Cambiaos los papeles.
¿En tu opinión es una descripción
acertada? ¿Tienes razón?

c Escoge unas características / cualidades
para una abogado – médico –
enfermera.

d Haz una lista de las cualidades
principales para el estudiante perfecto
o el profe ideal.

¿Experiencia de trabajo?

¿Colegio y asignaturas?

¿Carácter?

2 El subjuntivo presente

Pon la forma adecuada del subjuntivo presente.
Explica a tu compañero/a por qué es así.
1 Cuando (tener) 50 años quién sabe como seré.
2 Cuando (terminar) la película podremos salir.
3 Cuando (ser) mayor voy a viajar mucho.
4 Quiero que (limpiar) tu habitación.
5 Queremos que nuestra hija (aprender) a hablar español.
6 Mi amigo quiere que lo (hacer) yo porque no sabe cómo se hace.
7 Prefiero que (venir) todos a mi casa porque no quiero salir esta noche.
8 Mi mamá no quiere que yo (ir) porque ya es muy tarde.
9 Quiero que (saber) que cuando (salir) del colegio voy a seguir estudiando.
10 Ojalá que (tener) mucha suerte y que todo te (ir) bien en el futuro.

3 El imperativo

 a Escucha y empareja las dos partes
de la instrucción.
Ejemplo: Toca + los pies.

> pon   haz   habla   come   bebe
> escuchad   subid   no hagas
> no vengáis   no entres

> más claro   tu manzana   esto
> conmigo   en seguida   tu zumo
> la radio   aquí   tu abrigo
> tus deberes

b Da unas instrucciones a tu compañero/a.

c Cambia la instrucción positiva a una
instrucción negativa.
Ejemplo: Habla despacio. No hables tan
rápido.

> Ve todo recto.   Corre por la calle.
> Venid a mi casa.   Escribe toda la frase.
> Levántate ahora mismo.
> Callaos inmediatamente.
> Contesta en seguida.   Vete de aquí.
> Pensad un poco.

1 Gustos pasajeros

a Escucha. ¿Qué moda se describe?
¿A qué época pertenece?

hongo

pantalón de pata elefante

pantalón estrecho

traje de rayas

traje charlestón

collares

imperdible   cremallera   plumas de avestruz

¿Te ayudo?

en los años sesenta
soler – solía ...
tenía la costumbre de ...

b Empareja las prendas con la moda y escribe una frase.
Ejemplo: El punk solía llevar un imperdible y ...

c Escoge una moda y descríbela a tu compañero/a.

2 Hoy en día

a Escucha a Elena, Pilar, Alejandro y Guillermo.
Apunta sus opiniones de la moda.

Me siento igual a los otros.

No me gusta ser diferente.

Prefiero ser original.

Lo clásico nunca se pasa de moda.

Es más fácil seguir a los demás.

Sentirme bien y cómodo es lo más importante.

Me gusta expresarme.

Parece un uniforme.

Cultivo mi propio estilo.

No sigo a los demás.

No gasto mucho.

Ahorro para comprar.

b ¿Cuál es tu opinión? Discútela
con tu compañero/a.

c ¿Y mañana qué? ¿Cómo será la
moda? ¿Qué se estará llevando?

3 Sondeo

¿Quién sigue la moda? ¿Quién no?
¿Cuánto gastan?
En un grupo haz un resumen del
sondeo y preséntalo a tu clase.
(Oral, grabado en casete, por
ordenador o afiche.)

oJo

la mayoría   la minoría
por medio   porcentaje

4 Deportes a la moda

a Lee el artículo bastante rápidamente.

¡El "street" será el nuevo deporte rey!

El baloncesto es un deporte muy a la moda del cual se habla mucho pero hay que buscar un equipo y ser de una altura de 1m 80 o más.

El parapente es otro deporte de moda o el snowboarding, pero cuesta bastante el sólo empezar.

Empero ha llegado la hora de la revuelta callejera y los rollers han tomado el asfalto con sus patines. Ha nacido la moda del 'street', es decir del patinaje en la calle. Consiste en hacer figuras o piruetas aprovechando los bancos, barandillas, latas usadas o cualquier otro objeto que uno puede encontrar en la ciudad.

Actualmente hay unos circuitos preparados. Tú pones las normas del juego. 'Los radikales' a veces se agarran de los autobuses y coches para coger velocidad, pero está prohibido y la multa es de 10.000 pesetas. Aunque llegó la fiebre en el '93 sigue de moda y hasta hay uniforme. Además de los guantes, rodilleras y cascos protectores, llevan pantalones anchos con tiro largo y caídos por debajo de la cintura, 'piercings' y colgantes de cuero; escuchan grunge y hardcore y se tratan entre ellos como hermanos.

Esta es su jerga:
roller = patinador
roll fitness = estar en forma
gusanos = en línea agarrados por la cintura
hacer ruta = recorrer la ciudad de noche
half pipe = rampa en forma de U
Mactwist = salto mortal hacia atrás en giro de 360 grados.

b Apunta y aprende las palabras que no conoces.
Busca tres palabras:
1 que parecen inglesas.
2 que has podido adivinar por el contexto.
3 que reconoces por la foto.

c A turnos con tu compañero/a explica en tus propias palabras los términos de jerga.

d Rebusca. ¿Qué deporte estaba de moda en los años 50, 60, 70, 80?
Escribe un reportaje sobre uno que te llama la atención.

5 ¿Quién y qué está de moda y por qué?

Escucha a este grupo de jóvenes hablando de unos personajes famosos. Copia y rellena las casillas.
Ejemplo:

número	aspecto	▼ no / le gusta	▲ razón (detalles)
1	moda	✓	super cool

oJo

bueno – buenísimo/a/os/as	re – redifícil / rebueno
fácil – facilísimo	el / la mejor
blanco – blanquísimo	el / la peor

Exprésate.
El nuevo GA 628
ERICSSON

6 El poder de la publicidad

a Escucha y lee. ¿Cómo reaccionas?
Apunta tu respuesta.

❶ Acabas de oír por radio
que hoy es el último día
de rebajas.
  a Vas en seguida a ver si
  encuentras una ganga.
  b Ya lo sabías y habías
  planeado ir de compras.
  c No haces caso.

❷ Acabas de ver una
propaganda llamativa.
  a Hablas de ella.
  b Apuntas el producto para
  no olvidarlo.
  c No comentas nada.

❸ Después de leer un reportaje
sobre un producto …
  a tratas de comprarlo.
  b recuerdas todos los
  detalles.
  c lo comparas con otros
  productos.

❹ Después de oír una
propaganda …
  a la repites varias veces.
  b te quedas con el sonsonete
  en la cabeza.
  c no te llama la atención.

❺ Al observar un anuncio de
promoción en un almacén …
  a sigues con tus compras.
  b vas derecho a esta planta
  para verla.
  c anotas la planta para luego
  ir allí.

❻ Al conducir por la ciudad …
  a observas y anotas las
  propagandas.
  b no observas mucho.
  c ves las propagandas pero
  no haces caso de ellas.

❼ Antes de salir para el
supermercado …
  a recoges todas las ofertas
  para comprar estos
  productos.
  b haces tu lista y compras
  solamente lo que has
  escrito.
  c compras lo que te llama
  la atención al instante.

❽ Antes de comprar ropa
nueva …
  a miras una revista para
  averiguar la última moda.
  b te impones un límite de
  dinero.
  c piensas en combinarla
  con lo que ya tienes en
  tu armario.

b A turnos con tu compañero/a compara
y discute tus respuestas.
Ejemplo:
A ¿Tú qué pusiste / escogiste / decidiste
para el número uno?
B Yo puse / escogí / decidí que … , ¿y tú?

c Autoretrato.
¿Te dejas influir mucho / bastante /
poco por la propaganda?
¿Cómo te describirías a ti mismo?
¿Eres una persona: que se deja influir?
controlada? antojosa? segura de sí misma?

7 ¿Qué haríamos sin la tele?

No me importaría.

Pasaría mi tiempo leyendo.

Buscaría otra actividad.

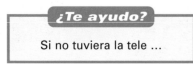

¿Te ayudo?

Si no tuviera la tele …

a Escucha y escribe la respuesta.
¿Cuántos no podrían vivir sin la tele?
¿Con qué actividad llenarían el vacío?

b Y tú, haz una lista. Compárala con la
de tu compañero/a.

8 Aunque la mona se vista de seda – mona se queda

a Mira y lee la propaganda.

b Trabaja con tu compañero/a.
Discute tus ideas y escribe tus
conclusiones.
¿Qué mensaje tiene?
¿Te invita / aconseja / informa / …?
¿Es artístico / gracioso / escandaloso / …?
¿Te llama la atención o te hace pensar?
¿Es importante / útil / de fantasía / …?

c En grupos discutid el tema: 'Se gasta
demasiado dinero en la publicidad.
Si no se gastara tanto, los productos
se venderían por menos.'

9 ¡'Gulería', gusto o gratificación!

Escucha la publicidad. Anota las clasificaciones
y apunta qué número es para:
● comida   ● pasatiempo   ● cosméticos
● ropa   ● vacaciones

10 ¡Al ataque!

a Mira las frases y palabras y
clasifícalas de acuerdo con la foto
adecuada.

b Un poco de imaginación. Inventa
un eslogan para uno de los
artículos.

c Graba en una casete tu eslogan y
preséntalo a tu clase.
¿Dónde mejor vas a poner tu
propaganda – en la tele? revista?
calle? colegio?

aprovecha   único   fantástico   increíble
impacto a primera vista   nuevo
¡de infarto!
máxima sensación   bravo   es la mejor forma
original   mayor seguridad   mejor control
récord a batir   súper orgulloso
un mogollón de   revolucionario
desarrollo tecnológico   exclusiva   el mejor
el mayor
poquísimo   a cualquier hora   muchísimo

A

B

C

D

30 Es nuestro mundo

METAS ● adicción ● salud

1 Tabaco

a Escucha y apunta. ¿Están en contra o a favor?

b Lee y clasifica las opiniones: positivas o negativas.

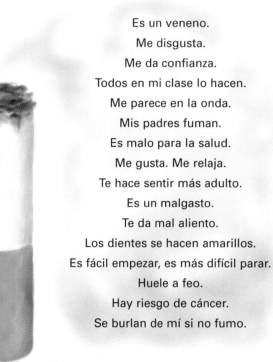

Es un veneno.

Me disgusta.

Me da confianza.

Todos en mi clase lo hacen.

Me parece en la onda.

Mis padres fuman.

Es malo para la salud.

Me gusta. Me relaja.

Te hace sentir más adulto.

Es un malgasto.

Te da mal aliento.

Los dientes se hacen amarillos.

Es fácil empezar, es más difícil parar.

Huele a feo.

Hay riesgo de cáncer.

Se burlan de mí si no fumo.

c Escoge dos o tres frases para expresar tu punto de vista. Toma turnos con tu compañero/a. Fumo porque … / No fumo porque …

2 Cinco razones para no fumar

a Lee el artículo. Anota y aprende las palabras que no conoces.

b Escribe una carta parecida para contestar con tus opiniones.

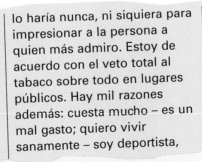

Nuestros lectores contestan …

A mí tampoco me gusta el tabaco – estoy en contra. En mi opinión los jóvenes que fuman lo hacen para aparentar. No sólo les hace daño sino que también les vuelve adictos. No lo haría nunca, ni siquiera para impresionar a la persona a quien más admiro. Estoy de acuerdo con el veto total al tabaco sobre todo en lugares públicos. Hay mil razones además: cuesta mucho – es un mal gasto; quiero vivir sanamente – soy deportista, entre otras. Cada año aumenta el número de fumadores. Entre ellos cuentan cada vez más los jóvenes y las mujeres. Desgraciadamente el cuerpo se habitúa al estímulo y pide más y más para sentir lo mismo; así es cómo se vuelve uno adicto.

3 Adiós a las drogas en las aulas

 a Lee el artículo y contesta a las preguntas.

¿Es mejor premiar al que dice 'no' que castigar al que ya ha caído?

El problema de la presencia de drogas en los colegios es especialmente grave en los países occidentales. En Estados Unidos, por ejemplo, el número de estudiantes de secundaria que consumen estupefacientes aumenta cada año. La solución más eficaz es, sin duda, una mejor coordinación entre profesores y padres en las tareas educativas. Pero, ¿por qué no buscar un método más drástico? En Dallas existe un programa Juventud Libre de Drogas en el cual se hacen tests voluntarios de detección de drogas. Los que se demuestran estar 'limpios' reciben un incentivo en forma de bonos de compra o de entradas gratis para ciertos espectáculos. A nadie se le obliga a pasar la prueba. Los que no superen el test no son denunciados; les asesorarán discretamente sobre las mejores vías para desengancharse.

1 ¿De qué problema se trata?
2 ¿Cuál es la solución más eficaz que se propone?
3 ¿Quiénes reciben el incentivo?
4 ¿En qué consiste el incentivo?
5 ¿Qué pasa a los que no superen el test?

b ¿Qué significa? Explica en tus propias palabras:
1 los países occidentales
2 que consumen estupefacientes
3 que demuestran estar 'limpios'
4 no son denunciados
5 para desengancharse

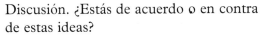

Plan para profesores que enseñan a decir 'no'
Más de 1.600 docentes asisten a cursos sobre prevención de la drogadicción.

'La educación es el mejor instrumento con el que contamos para prevenir el consumo de drogas.'

¿Te ayudo?

Lo más importante es / sería …
En mi opinión …
En cuanto a …
Me parece que …

c Discusión. ¿Estás de acuerdo o en contra de estas ideas?

d Escucha el sainete: 'Enséñales a decir no'. En grupos prepara una escena sobre una de las adicciones. Preséntala a la clase.

4 Hacia un mundo sano

a Lee el texto.

La composición de los alimentos y su uso

Proteínas: pescado, carne, huevos, leche, queso, legumbres y cereales. Necesitas 55 g a diario. Músculos y órganos vitales.

Hidratos de carbono: pan, pasta, patatas. Necesitas 275 g a diario. Energía.

Hierro: hígado, riñones, espinacas, guisantes. Necesitas 12 mg a diario. Protección y digestión.

Calcio: leche, queso, pescado, pan. Necesitas 700 mg a diario. Cuerpo y huesos.

Vitaminas: Protegen el cuerpo, ayudan la digestión.

A: zanahorias, tomates, legumbres verdes, mantequilla. Piel, ojos.

B: hígado, carne, harinas. Energía, piel, sistema nervioso, sangre.

C: fruta, legumbres verdes, zanahorias, patatas. Energía, piel.

D: leche, mantequilla, hígado. Dientes, huesos, ayuda a absorber el calcio.

b Da unos consejos a tu compañero/a para alimentarse.
Ejemplos: La leche y … tienen … y son buenos para …

c Ahora escribe tres consejos más.

5 ¿Qué comieron ayer?

Escucha y rellena las casillas.

Comida	▼ ¿Es sano o malsano?	▲ Da la razón.

6 ¿Qué hacemos los españoles para perder peso?

a Lee el artículo y explica las palabras subrayadas.

Comer menos y practicar ejercicio son las <u>estrategias</u> más utilizadas por la <u>población</u> española que decide <u>adelgazar</u> según un estudio sobre <u>nutrición</u> llevado a cabo por el Instituto Gallup. Mientras los hombres prefieren hacer ejercicio para <u>eliminar</u> las grasas sobrantes, las mujeres se decantan por los <u>regímenes</u>, los productos <u>dietéticos</u> y otras <u>estratagemas</u>.

b Mira la infografía y decide cuáles frases son correctas y cuáles no lo son.

Qué hacemos los españoles para perder peso

Comer menos	76,8 %
Practicar ejercicio	42,8 %
Consumir productos *light*	18 %
Ingerir pastillas	12,1 %
Tomar infusiones adelgazantes	10,3 %
Beber batidos	10,1 %
Usar cremas reductoras	4,5 %
Masajes	3,8 %
Acupuntura	2,5 %
Infiltraciones	0,3 %
Otras acciones	10,1 %
NS/NC	1,5 %

*Al ser un test de respuesta múltiple, la suma de los porcentajes es mayor de 100.

1 Más gente utiliza la acupuntura que los masajes.
2 La mayoría comen menos.
3 Menos gente beben batidos que practican ejercicio.
4 Las mujeres prefieren hacer ejercicio.
5 Un doce punto uno porciento usan cremas reductoras.

c Da cinco consejos positivos y cinco que comienzan con 'No'.

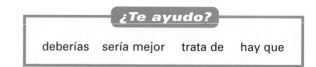

¿Te ayudo?

deberías   sería mejor   trata de   hay que

7 ¿Estás en forma?

 a A turnos con tu compañero/a contesta las preguntas.

Dime lo que comes y te diré como eres

❶ ¿Cuándo tienes hambre comes ...
  a una manzana? *(1)*
  b pan? *(2)*
  c chocolate? *(3)*

❷ ¿Cuándo tienes sed tomas ...
  a agua? *(1)*
  b café? *(3)*
  c una cola? *(2)*

❸ ¿Duermes ...
  a pocas horas? *(2)*
  b muchas horas? *(3)*
  c suficientes horas? *(1)*

❹ ¿Desayunas ...
  a café o té? *(2)*
  b nada? *(3)*
  c algo? *(1)*

❺ ¿Comes bastantes ...
  a patatas fritas? *(3)*
  b bocadillos? *(2)*
  c ensaladas? *(1)*

❻ ¿Comes fruta y legumbres ...
  a todos los días? *(1)*
  b dos o tres veces a la semana? *(2)*
  c rara vez durante la semana? *(3)*

❼ ¿Haces ejercicio ...
  a de vez en cuando? *(2)*
  b muy a menudo? *(1)*
  c raras veces? *(3)*

❽ ¿Para perder peso ...
  a comes menos? *(2)*
  b no haces nada? *(3)*
  c haces ejercicio y comes menos? *(1)*

Calcula tus puntos. Inventa las clasificaciones y consejos.

0–8 =   9–16 =   17–24 =

8 A ti te toca

Tu agenda para la semana
En forma en 30 días

Recuperar la forma física en un mes no es una tarea imposible. Para conseguirlo tan sólo hace falta disposición y un poco de disciplina. Además es necesario preparar una dieta adecuada y escoger el deporte que más te conviene.

a Escribe lo que comiste / bebiste / tomaste / preparaste ayer.
¿Fue sano o malsano?

b ¿Qué hiciste durante la semana?
¿Fue saludable o no?

c Ahora propón un menú para la semana que viene.
¿Qué comerás / beberás / tomarás / prepararás en las tres comidas principales?

d Discute el contenido con tu compañero/a.

9 Un poco de imaginación

En grupos prepara una campaña. Escoge uno de los aspectos:
● tabaco
● drogas
● salud y dieta.
Prepara un eslogan, una propaganda o un folleto para explicar tus ideas.

¿Te ayudo?

¡STOP!

Cuidado

Adelante

MANZANA

1 Titulares

a Escucha el noticiero. Anota las clasificaciones y apunta qué número es para …
- Clima / pronóstico
- Desastres
- Actos de agresión – guerra – vandalismo
- Economía
- Deporte
- Religión
- Chismografía

b Escucha otra vez.
▼ ¿En qué parte del mundo pasa?
▲ Da unos detalles.

c Lee y empareja los titulares con un comentario adecuado.

A El volcán entra en actividad con el conato de erupción más fuerte desde 1925.

B … sumió ayer su segunda victoria por una derrota en el Europeo de baloncesto que se disputa en Hungría.

C Los ministros de Finanzas de la UE afrontan hoy la polémica sobre el euro.

D Los diversos partidos serán emitidos, en directo, por la 2 y / o por el canal Teledeporte.

E Gran Bretaña es uno de los países occidentales que no tiene salario mínimo … pero hoy se considera una responsabilidad básica.

F Iniciaron ayer una serie de reuniones para discutir la cooperación entre ambos organismos.

G Se calcula que existen 60,000 niños en España que no alcanzan su debido potencial en el colegio.

H Vacaciones en peligro – el pasado fin de semana cayó una nevada tardía que sorprendió a muchos que se alistaban para ir a la playa.

I La Biblioteca piscina abre sus puertas y espera establecerse como alternativa estival.

J … falleció ayer a los 79 años mientras dormía en su casa.

1. HACÍA 30 AÑOS QUE NO NEVABA EN JUNIO
2. APRENDA A LEER ENTRE CHAPUZONES
3. Hollywood pierde uno de sus tipos duros
4. PARLAMENTARIOS DE LA CEI Y DE CE SE REUNEN EN RUSIA
5. EL POPACATÉPETL CUBRE DE CENIZAS LA CIUDAD DE MÉXICO
6. LA SELECCIÓN FEMENINA VENCE A UCRANIA
7. TVE adquiere los derechos de la Copa América de fútbol
8. Promesa electoral de salario mínimo se pone en marcha
9. EL FUTURO DE LA UNIÓN MONETARIA EUROPEA A DEBATE
10. ATENCIÓN ESPECIAL A LOS NIÑOS SUPER DOTADOS

2 ¿Qué significan estas siglas?

OTAN   ONU   ETA   IVA
SA   UE   TVE

3 Imágenes potentes

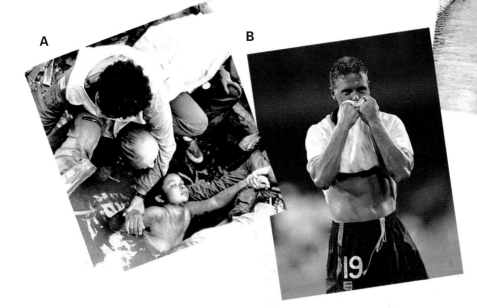

A

B

C

D

a Escucha las noticias. ¿De cuál foto se trata?

b Lee y empareja la foto con un titular.

Adiós Omayra   Una lágrima …

Inocente   ¿Quién tiene la culpa?

c ¿Qué te llama más la atención?
¿Por qué? Discute tus ideas con tu
compañero/a.

¿Te ayudo?

escándalos   miedo   romance   muerte
actualidades (inter)nacionales
tebeos   juegos de memoria   chistes
reportajes sobre … ciencia / animales / música
consejos … de salud / del medio ambiente

d ▼ Escribe dos o tres frases para una
de las fotos.
▲ Escribe un reportaje breve de unas
50 palabras.

¿Quedan ? días para el año 2020?

4 A ti te toca

Lee los periódicos o revistas de esta semana.
Busca los titulares que más te llaman la
atención.
En un grupo haz la primera página de tu
propio periódico.

la polución de los ríos
la lluvia ácida
la deforestación
la basura doméstica
las capas de petróleo
la polución sonora
los desechos radiactivos
la contaminación atmosférica

5 Es nuestra tierra – protejámosla

Escucha e identifica el problema.

6 ¿Te das cuenta del peligro que enfrenta nuestro planeta?

a Empareja cada problema con una definición.

1 la desforestación
2 la sobrepoblación
3 el sobrepasturaje
4 la sobrepesca / caza
5 la sequía
6 la erosión de la tierra
7 la destrucción de especies
8 la destrucción de la capa de ozono
9 la lluvia ácida

Hay demasiados animales domésticos.

Atrapan a demasiados animales / peces.

No llueve y la tierra se vuelve desierto.

Se cortan todos los árboles.

Destruyen el hábitat de los animales y pájaros.

Se usa el gas CFC y destruyen la atmósfera.

Hay demasiada gente en el mundo.

La polución química entra en el ciclo de las aguas.

La lluvia y el viento levantan la tierra.

b Escucha y escribe.
¿De qué país o parte del mundo se trata?
¿Cuál es el problema?

7 ¿Qué opinas? ¿Qué remedios hay? ¿Qué podemos hacer nosotros?

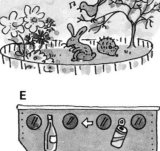

a Lee y empareja los dibujos con las normas.
1 Economiza agua y luz.
2 Recicla latas y botellas.
3 No uses canecas CF.
4 Baja la calefacción – cierra las cortinas.
5 Cuida el escape – conduce despacio.
6 Protege la flora y fauna.

b Da más ejemplos. Inventa un eslogan y dibuja un afiche.

c Compara tu ejemplo con los demás de la clase.

d Escribe una norma positiva y una negativa.
Ejemplo: Economiza el agua.
No dejes el grifo abierto.

8 Parque nacional de Teide

Escucha a Guillermo. Anota cinco ventajas y dos desventajas.

¿Te ayudo?

una cafetería vegetariana y sin alcohol, no fumador

una tienda con productos naturales todo en papel reciclado (aun el higiénico)

Cruz Roja homeopática

gasolina sin plomo

museo de objetos nocivos (difuntos)

Todo funciona a base de paneles solares y molinos de viento.

9 Hagamos un parque ecológico

a Escribe. ¿Qué habrá allí?

b En grupos discute los problemas. Da tu punto de vista y propón unas soluciones. Prepara una presentación oral y escrita a tu clase.

café Vegetariano El Huerto

32 **Cuenta con nosotros** ● ● ● ● ● ● ● ● ● ● ● ● ● ● ● ●

● jóvenes cooperantes ● servicios voluntarios

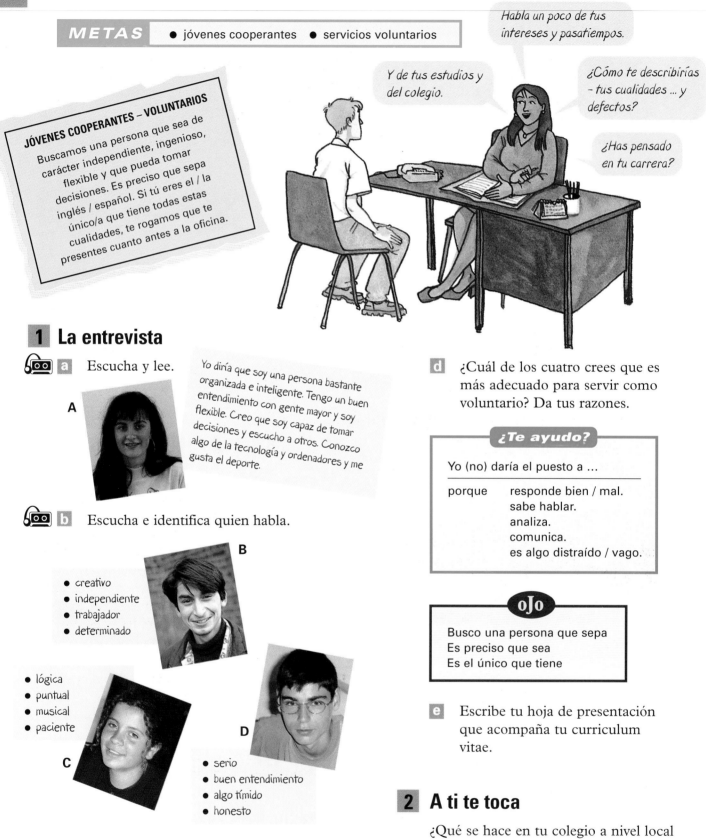

JÓVENES COOPERANTES – VOLUNTARIOS

Buscamos una persona que sea de carácter independiente, ingenioso, flexible y que pueda tomar decisiones. Es preciso que sepa inglés / español. Si tú eres el / la único/a que tiene todas estas cualidades, te rogamos que te presentes cuanto antes a la oficina.

Habla un poco de tus intereses y pasatiempos.

Y de tus estudios y del colegio.

¿Cómo te describirías – tus cualidades ... y defectos?

¿Has pensado en tu carrera?

1 La entrevista

a Escucha y lee.

A

Yo diría que soy una persona bastante organizada e inteligente. Tengo un buen entendimiento con gente mayor y soy flexible. Creo que soy capaz de tomar decisiones y escucho a otros. Conozco algo de la tecnología y ordenadores y me gusta el deporte.

b Escucha e identifica quien habla.

B

- creativo
- independiente
- trabajador
- determinado

- lógica
- puntual
- musical
- paciente

C

D

- serio
- buen entendimiento
- algo tímido
- honesto

c Escribe en detalle la hoja de presentación para B, C o D. Sigue el ejemplo de A.

d ¿Cuál de los cuatro crees que es más adecuado para servir como voluntario? Da tus razones.

¿Te ayudo?

Yo (no) daría el puesto a ...

porque	responde bien / mal.
	sabe hablar.
	analiza.
	comunica.
	es algo distraído / vago.

oJo

Busco una persona que sepa
Es preciso que sea
Es el único que tiene

e Escribe tu hoja de presentación que acompaña tu curriculum vitae.

2 A ti te toca

¿Qué se hace en tu colegio a nivel local como trabajo o servicio voluntario? En grupos escribe y presenta unas ideas.

3 A nivel local

a Lee el artículo y explica las palabras subrayadas.

b ¿Qué significa …
1 la tercera edad?
2 nuestro colegio local?
3 para financiar este proyecto?
4 creado por sí mismos?
5 nos sirve a todos?

c Imagina que fue tu colegio. Explica a una persona española lo que hiciste.

Fiesta navideña para la tercera edad

El pasado martes por la tarde — nuestro colegio local — mejor dicho los estudiantes del 4 ESO — ofrecieron un té a unos 75 <u>ciudadanos</u> de edad. Para <u>financiar</u> este proyecto habían <u>ingeniado</u> mil maneras de <u>recolectar</u> dinero durante el semestre. No sólo prepararon la comida sino también les dieron a cada uno un regalito de Navidad y les <u>entretuvieron</u> con un 'show' creado por sí mismos. <u>Felicitamos</u> a los profesores y estudiantes por su <u>generosidad</u> de espíritu. Nos sirve a todos como ejemplo de convivencia y entendimiento para esta época navideña.

4 Cuba – proyecto para ayudar a estudiantes cubanos

a Escucha a los estudiantes hablando de lo que hicieron.

b Escucha otra vez y lee las notas.

¡SOLIDARIDAD!

- unos 40 estudiantes
- durante todo el semestre
- recogieron libros y cuadernos
- escribieron cartas
- mandaron paquetes

Tú puedes ayudar a los niños en
CUBA
RECOGE LIBROS

c Completa las frases con un verbo adecuado.

Fue una idea nuestra porque —1— en el periódico acerca de una crisis en los colegios cubanos por falta de textos, libros y las demás cosas para estudiar. Entonces en la clase de cívica —2— a la profe si —3— organizar un proyecto para ayudarles. —4— a hablar y poco a poco más gente —5— participar hasta que unos cuarenta o más estudiantes de nuestro curso —6—. Hicimos afiches que —7— en el boletín del colegio y —8— varios eventos para recoger dinero.

> quería   habíamos leído   empezamos
> se entusiasmaron   preguntamos
> organizamos   podíamos   pusimos

d Con tu compañero/a prepara una entrevista con uno/a de los estudiantes españoles.

5 Otros proyectos

a Escucha y toma apuntes. Sigue el ejemplo de arriba.

b ▼ Escribe unas 80 palabras.
▲ Escribe un reportaje de 120 palabras.

6 A nivel mundial

Lee. Busca y explica lo que hacen.

Organización de las Naciones Unidas
sede en Nueva York – 158 países

CRUZ ROJA
1863 suizo
Henri Dunant

UNESCO
educación universal

Raleigh INTERNACIONAL
jóvenes de todas partes del mundo

MEDECINS SANS FRONTIERES
francés

Amnistía Internacional
1961 inglés

GREENPEACE
medio ambiente

7 Jóvenes intrépidos

a Un periodista local viene a hacerle una entrevista a Sara. Aquí tienes su lista de preguntas. Léelas.

1 ¿Adónde irás?
2 ¿Cuándo saldrás?
3 ¿Cómo viajarás?
4 ¿Cuánto tiempo estarás allí?
5 ¿Qué harás?
6 ¿Qué clase de alojamiento tendrás?
7 ¿Cuántas horas por semana trabajarás?
8 ¿Necesitarás hablar otro idioma?
9 ¿Estarás nerviosa?
10 ¿Y tus padres, qué opinan?

Raleigh INTERNACIONAL

b Escucha y anota las respuestas.
Ejemplo: 1 = Uganda, Africa del este

c Dos del grupo han regresado ya.
Escucha y anota las preguntas.

d Escucha otra vez y anota las respuestas.
Escoge a una de las tres personas y escribe un artículo para tu periódico local o del colegio.

8 A ti te toca

En grupos discute tus ideas sobre el servicio voluntario.

> **¿Te ayudo?**
>
> estar fuera / lejos de tu país y casa
>
> tener que hablar / comprender un idioma extranjero
>
> no tener todas las comodidades acostumbradas
>
> no conocer a nadie (al principio)

9 Celebrando nuestros éxitos

 a Lee y escucha.

Unas preguntas …
¿Cuánta gente hay en el mundo entero, menor de 18 / 21 / 25 años?
¿Qué porcentaje de la población total del mundo representa?
¿Cuántos dentre de este número son clasificados como delincuentes, antisociales, o encarcelados?

Pienso … Luego … opino que la gran mayoría van bien pero ¡**requetebién**!

b Aquí tenéis tres fines posibles al cuento. ¿Qué os parece? En grupos o parejas discutid el final apropiado y decidid cómo lo vais a terminar en vuestras propias palabras. Dad vuestras razones.

A través de la historia sabemos de cuentos famosos, sean verídicos o sean apócrifos – leyendas o parábolas – que hablan de la resistencia y coraje humano. Siempre nos llama la atención cuando se trata de una persona joven. Hay bastantes ejemplos como Anne Frank, … o … . ¿Pero qué de los casos que ocurren a diario en torno nuestro que no reconocemos o de los cuales no hacemos caso por ser tan cercanos? Pensad un momento y os daréis cuenta de varios ejemplos. Os voy a contar algo que oí el otro día.

No hace mucho hubo una pandilla de chicos que rondaban el barrio sin rumbo fijo a todas horas. No tenían nada que hacer. Vieron a un viejito que vivía solo desde hacía años. Le atormentaban y le decían toda clase de insultos. El no les respondía sino con un saludo y una sonrisa. Luego para distraerse se pusieron a hacerle maldades. Empezaron con tocarle la puerta y huir a esconderse. Una noche decidieron asustarle y se acercaron a su puerta y le echaron un petardo. El viejito no se inmutó sino que les saludó con su sonrisa de siempre. De repente uno del grupo se dio cuenta de que tenía que ser porque era sordo – igual que su abuelo – y por eso su crueldad no había tenido el éxito esperado. En seguida se sintió avergonzado. ¿Cómo podía tratar a un viejito tan parecido a su abuelo de esta forma? Al principio no se atrevió a decirles lo que pensaba a los otros por miedo de que le tomasen el pelo.

1
Se fue solo a la casa del viejito y se puso a hablarle con señas. Resultó que había dañado su aparato y no tenía suficiente dinero para repararlo. Sin más ni menos el chico decidió ayudarle. Cogió coraje. Habló con el grupo. También se avergonzaron y …

2 Se fue solo y los otros se burlaron de él …

3
Se quedó callado y siguió con el grupo aunque sabía que …

¡¿**Listos ya?!**

Los Parques Nacionales

España ofrece una variedad y diversidad enorme de paisaje, flora y fauna. Gracias a los Pirineos que forman una barrera natural que se extiende de Vizcaya al mediterráneo los animales y flores ya presentes se quedaron encerrados del resto de Europa y han evolucionado independientemente.

Lo mismo pasó cuando se formó el trecho de mar entre Gibraltar y Africa. Muchas especies africanas se quedaron encerradas en España. Hay muchos parques naturales pero son los once parques nacionales – el primero de los cuales se fundó en 1918 – que desempeñan un papel importante de conservación.

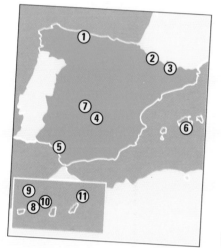

MONTAÑAS

❶ Picos de Europa – el más grande de Europa – Asturias, Cantabria, Castilla y León – 64,660 hectáreas – conocido por el águila dorada.

❷ Ordesa y Monte Perdido – Huesca y Pirineos – 16,000 hectáreas – reserva natural contigua al parque francés – conocido por sus cabras.

❸ Aigues Tortes y el lago de Sant Maurici – Pirineos y Lérida - 10,230 hectáreas – estab. 1955 – conocido por sus 150 lagos y montañas de 3,000m.

PANTANO

❹ Tablas de Daimiel – La Mancha húmeda, NE de Ciudad Real – 1,928 hectáreas - estab. 1973 – conocido por sus pájaros migratorios.

❺ Doñana – boca del Guadalquivir – UNESCO herencia mundial – 75,000 hectáreas – estab. 1969 – conocido por sus tres ecosistemas pantano marisma y arenales y el águila imperial y el lince.

ISLAS

❻ Archipiélago de Cabrera – a 18km de la costa sur de Mallorca – 1,836 hectáreas – nunca ha sido poblado – conocido por halcones raros, plantas y reptiles.

SELVAS Y BOSQUES

❼ Cabañeros – NO Ciudad Real en los montes de Toledo – 41,805 hectáreas – conocido por el buitre negro, el jabalí y el águila imperial.

❽ Garajonnay – Isla de la Gomera (Canarias) UNESCO patrimonio mundial – 3,975 hectáreas – conocido por su selva.

VOLCANES

❾ Caldera de Taburiente – Isla de la Palma (Canarias) 4,690 hectáreas – conocido por el observatorio internacional astrofísico – volcán 8 km de ancho y 900m de hondo – de interés geológico y botánico.

❿ Teide – Isla de Tenerife (Canarias) 13,500 hectáreas – conocido por su volcán activo – 3,717m de alto en clima subtropical – 50 especies autóctonas de violetas.

⓫ Timanfaya – Isla de Lanzarote – 5,170 hectáreas – conocido por sus volcanes del siglo 18 y 19, y por sus lagartos.

1 Los Parques Nacionales

🔊 **a**   Escucha. ¿Qué parque se describe?
▼ Anota el número ….
▲ y los detalles.

b Completa las frases.
1 Por las Tablas de Daimiel pasan muchos ..... en migración.
2 Ordesa y Monte Perdido se sitúan en los ..... con la frontera ..... .
3 ..... es el parque ..... de Europa y se conoce por ..... .
4 Doñana fue establecido en ..... y se conoce por ..... .
5 Timanfaya tiene dos ..... que datan del ..... .

c Indica a qué parque se refiere.
1 Se sitúa en las islas baleares y nunca ha sido poblado.
2 Tiene un observatorio internacional.
3 Aquí se protegen al buitre negro y al águila imperial.
4 Fue establecido en mil novecientos cincuenta y cinco y tiene lagos y cascadas.
5 Se sube a este volcán a camello pero cuidado, no está extinguido sólo dormido.

2 Estás de vacaciones

a Estás haciendo cámping en Tenerife. Quieres pasar un rato aquí. Con tu compañero/a prepara una conversación.

b Un día necesitas dinero y vas a un banco / cambio. Turnándote con tu compañero/a inventa unas conversaciones.

c Tienes un(a) amigo/a que vive en la isla de La Gomera. Estás enfermo/a y no puedes ir a verle como habías planeado. Escribe una nota contándole lo que ha pasado y qué planes tienes ahora.

3 Se buscan voluntarios

a Ves este anuncio en una cafetería en Tenerife. Decides solicitar el puesto. Tienes una entrevista.

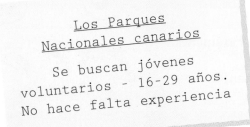

Los Parques Nacionales canarios

Se buscan jóvenes voluntarios - 16-29 años.
No hace falta experiencia

b Imagina que trabajas en uno de los Parques Nacionales. Escribe un reportaje o una carta a tu amigo/a español(a). Explícale dónde trabajas, qué haces exactamente, cuántas horas trabajas, y si te gusta o no. Describe algo interesante que ocurrió, y si es la clase de trabajo que escogerás para después de dejar el colegio. Explica por qué te interesa o por qué no te gusta.

► Oriéntate 4B ●

1 Mis intenciones

¿Qué me aconsejas? ¿Cómo hago? ¿Qué hacer?

Me gustaría	ser	enfermera / piloto / profesor
Quisiera	trabajar como	rico / adinerado / responsable
Tengo la intención de	hacerme	cooperante / voluntario
Espero	llegar a ser	
Cuento con	seguir estudiando / ir a la universidad / dejar de estudiar
Ojalá pueda	hacer un aprendizaje / hacer una práctica de empresas / emigrar
A lo mejor voy a	viajar / vivir en ... / comprometerme con .... / casarme / tener hijos

No lo sé todavía No lo veo muy claro
Para mí la seguridad es esencial

2 El tiempo pluscuamperfecto se forma así

había	**-ar** →	trabaj**ado**	habl**ado**	compr**ado**
habías	**-er** →	com**ido**	beb**ido**	ten**ido**
había	**-ir** →	sub**ido**	dorm**ido**	sal**ido**
habíamos				
habíais				
habían				

oJo

hecho	escrito	dicho	vuelto
puesto	abierto	visto	roto

¿Qué pasó primero – la parte **a** o la parte **b** de la frase?

a
Escribí al hotel porque
Llegué tarde al colegio porque
Tuve que pagar una multa porque

b
había dejado mi cámara en el armario.
no había oído el despertador.
había aparcado el coche en un sitio prohibido.

Entonces se usa cuando quieres decir que **algo pasó primero**,
antes que otro.

3 El subjuntivo

Se usa cuando se expresa **una emoción** que afecta lo que
se hace en la frase o a la persona que lo hace ...

<u>Siento que</u> no **puedas** venir al cine esta noche.
<u>Me da pena que</u> **sea** tan irresponsable.
<u>Me alegro mucho de que</u> **haya tenido** éxito en sus exámenes.
No puede ser. <u>Dudo que</u> **tenga** razón.
No ha venido todavía. <u>Es posible</u> que **venga** más tarde.
¿Tú crees? <u>Yo no creo que</u> **venga**.
<u>Tengo miedo de que</u> **lleguemos** tarde.

•••••Taller 4B•••••••••••••••••••••••••

1 Mis intenciones

a

¿Cómo quieres ganarte la vida?

¿Qué tipo de trabajo te interesa?

¿Qué harías si fuese posible?

¿Qué experiencia tienes?

¿Qué práctica has hecho?

¿Qué calificaciones tienes?

b Describe el escenario para estas personas.

2 El pluscuamperfecto

a Decide lo que pasó primero: **a** o **b**. Escribe la frase entera.

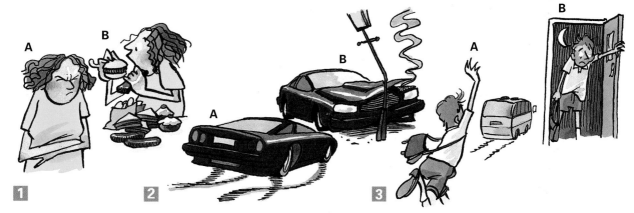

b Te jactas siempre de haberlo hecho antes que tu compañero/a.

Ejemplo:

A Hemos ido al parque acuático.
B Ya nosotros habíamos ido antes que tú.

Visitamos la Sagrada Familia.
Fuimos al Barrio Gótico.
Compramos el último disco de Julio Iglesias.
Fuimos a ver a Joaquín Cortés.
Ganamos el campeonato de baloncesto.

Fui a Tibidabo con mis amigos. Ya yo …
Aprendí a conducir el coche.
Aprobé el examen de física.
Me inscribí para el club de surf.
Vi el espectáculo anoche.

3 El subjuntivo

a Pon la forma adecuada del subjuntivo.
1 Me alegro de que te (gustar) el libro.
2 Lo siento que su hermana no (poder) venir.
3 Dudo que (ser) conveniente.
4 Es posible que nosotros (ir) esta noche
   al concierto.

b Termina estas frases con una idea adecuada.
1 Mis profesores quieren que …
2 En mi casa dicen que …
3 Mis amigos prefieren que …
4 No creo que …
5 Tengo miedo de que …

Investigación 4 ●●●●●●●● ●●●

Jóvenes cooperantes

El escenario

EL CONSEJO ESTUDIANTIL
RESOLUCIÓN
A lo largo de este año académico se propone recoger dinero para un proyecto a nivel Local, Nacional e Internacional.
Depende de vosotros.

Libearty

Campaña mundial para salvar al oso

En grupos de cinco o seis discutid y decidid a qué nivel vais a operar y qué tema queréis promocionar.

Medio ambiente
- local = parque, colegio, barrio
- nacional = parque, zona industrial
- internacional = Greenpeace, selva tropical

Solidaridad
- local = la tercera edad, refugiados
- nacional = Shelter, jóvenes desamparados
- internacional = Oxfam, Unicef, Amnesty International

Animales en peligro
- local = refugio
- nacional = RSPCA, zoológico
- internacional = WWF – Adena

Educación
- local = club de lectura, analfabetismo
- nacional = el periódico que habla para los ciegos
- internacional = UNESCO, Libros para el tercer mundo

Tareas

1 A solas, escucha a este grupo de estudiantes hablando de ciertos proyectos. Rellena las casillas.

Tema / problema	Acción posible	difícil	fuera de concurso

2 En grupos, preparad vuestro plan de desarrollo.

OXFAM

GREENPEACE

Asociación
La Casa Grande
'Solidarios con el 4° Mundo'

Visita nuestra página en la Red

C/Mirasol, 11 – Bajo   46015 VALENCIA (España)
Teléfonos: (96) 121 20 73 / (96) 346 33 74

1997 año europeo

contra el racismo

PLAN DE DESARROLLO

Local
Nacional
Internacional

| Tema | Nivel |

| Objetivo | GRUPO | Horario / calendario |

| Tareas | Finanzas |

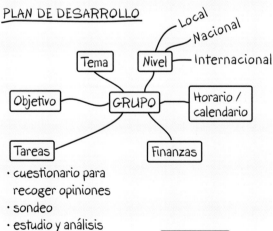

- cuestionario para recoger opiniones
- sondeo
- estudio y análisis
- redacción y presentación
- publicidad
- sucesos para fomentar fondos

Evaluación

- Salió bien / mal / regular.
- ¿Cuánto dinero ...?
- El grupo funcionó bien / mal / regular.
- Todos tomaron parte.

WWF/Adena
Fondo Mundial para
la Naturaleza

Gramática ●

1 Nouns

A noun is a word used to name an object, person or an idea.

In Spanish nouns are either masculine or feminine. Many which end in **-o** are masculine and many which end in **-a** are feminine.

masc.		*fem.*	
el libro	*book*	**la** regla	*ruler*

> **Exceptions:**
> el mapa, el día, el clima, la mano, la radio

To make a noun plural:
– add **-s** if the singular ends in **-o** or **-a**: libro → libros, regla → reglas.
– add **-es** if the singular ends in a consonant: hotel → hotel**es**.

Some words lose or add an accent in the plural: joven → j**ó**venes, jardín → jard**i**nes.
Some change their spelling from **z** to **c** and then add **-es**: lapiz → lápi**c**es.

2 Articles

The definite article (*the*) changes according to whether the noun is masculine, feminine or plural.

	singular	*plural*
masc.	**el** libro	**los** libros
fem.	**la** regla	**las** reglas

> **Note:**
> A word which begins with a stressed **a** or **ha** takes **el** / **un** but if it is feminine, it needs a feminine adjective:
> El agua está fría. Tengo much**a** hambre.

You need to use the definite article when speaking *about* someone but not when speaking *to* someone
Lo siento, el señor Ruíz no está.   but   Buenos días señor Ruíz.

It is also used with parts of the body, with languages (but not after **hablar**, **estudiar**, or **saber**), with mountains, seas and rivers, and with certain Latin American countries and towns.

The indefinite article (*a / an*) follows a similar pattern.

	singular	*plural*
masc.	**un** libro	**unos** libros
fem.	**una** regla	**unas** reglas

> Unos/as – *some*, algunos/as – *a few*

> **Note:**
> You do not need the article when you refer to someone's profession:
> Soy profesora. Quiere ser astronauta.
>
> or when you want to say that you haven't got something:
> No tengo hermanos. No tenemos dinero.

3 Adjectives

Adjectives describe nouns and agree with the masculine, feminine or plural form of the noun.

	singular	*plural*
masc.	**un** libro nuev**o**	**unos** libros nuev**os**
fem.	**una** regla nuev**a**	**unas** reglas nuev**as**

Many adjectives end in **-o** (masculine) or **-a** (feminine). To make an adjective plural you follow the same rule as for nouns: add **-s** to a vowel; add **-es** to a consonant:

fácil → fáciles   interesante → interesantes   popular → populares   trabajador(a) → trabajadores/as

Some adjectives are positioned before the noun, and lose the **-o** if the noun is masculine:

buen   mal   primer   tercer   ningún   algún

> **Note:**
> **Grande → gran** before both masculine and feminine nouns.

Some have a different meaning depending on whether they are positioned before or after the noun:

un pobre niño   *an unfortunate child*   un niño pobre   *a poor (penniless) child*

Lo + adjective can be used to talk about a general idea:

Lo bueno / Lo malo es que …   *The good / bad thing is that …*

4 Possessive adjectives

Possessive adjectives show possession. They agree with the noun they describe.

singular		*plural*		
masc.	*fem.*	*masc.*	*fem.*	
mi	mi	mis	mis	*my*
tu	tu	tus	tus	*your* (familiar)
su	su	sus	sus	*his / her / your* (formal)
nuestro	nuestra	nuestros	nuestras	*our*
vuestro	vuestra	vuestros	vuestras	*your* (plural familiar)
su	su	sus	sus	*their / your* (plural formal)

> **Note:**
> They tend not to be used with parts of the body or clothes:
> Me duele la garganta.
> Se quitó el abrigo.

mi hermano, mi hermana, mis hermanos, mis hermanas, tu libro, tus libros, su regla, sus reglas
nuestro perro, nuestros perros, vuestra cabra, vuestras cabras

5 Demonstrative adjectives

Demonstrative adjectives are used to mean *this, that* or *these*. They agree with the noun in question.

singular		*plural*		
masc.	*fem.*	*masc.*	*fem.*	
este	esta	estos	estas	*this / these* (nearby)
ese	esa	esos	esas	*that / those* (near to the person spoken to)
aquel	aquella	aquellos	aquellas	*that / those* (over there, further away)

They can be equated to **aquí – ahí – allí.**
Esto and **eso** refer to general ideas or unknown things: ¿Qué es esto? ¡Eso es! ¿Eso es todo?

6 Comparatives

These are used to compare one thing, person or idea with another.

más … que: El Brasil es **más** grande **que** Colombia.   *Brazil is bigger than Colombia.*

menos … que: Hay **menos** gente en el Amazonas **que** en Bogotá.   *There are fewer people in the Amazon than in Bogotá.*

> **Note:**
> bueno   *good* → mejor(es)   *better*   Este vino es mejor que ése que estás bebiendo tú.
> malo   *bad* → peor(es)   *worse*   Tal vez y es peor que aquél que están comprando ellos.

When **más** or **menos** is used with a number to mean *more than ...*, you need to use **de** instead of que:
Más de un millón de muertos.

Menor and **mayor** meaning *older* and *younger* can be also used to mean *bigger* and *smaller*.

> **Some other ways of comparing:**
> cada vez más   cada día más   cuánto más   ... más   mismo ...que   tan ... como   tanto ... como

7 Superlatives

Superlatives are used to compare a thing, person or idea with several others.

el / la / los / las más + adjective (mejor / mejores, peor / peores):
Este libro es el más interesante que he leído en años.   *This is the most interesting book I've read in years.*

If the superlative adjective follows the noun immediately you leave out the **el / la / los / las**:
Es el río más largo del mundo.   *It's the longest river in the world.* (Note **de** translates *in* after a superlative.)

Lo mejor sería irnos en seguida.   *The best thing would be for us to go immediately.*
Lo peor sería no decir la verdad.   *The worst thing would be not to tell the truth.*

These endings can be added to adjectives to add emphasis: **-ísimo   -ísima   -ísimos   -ísimas**
Tengo muchísimas ganas de verte.   *I really want to see you.*
La comida fue rica – pero riquísima.   *The food was delicious, absolutely delicious.*

8 Adverbs

Adverbs are used to describe the verb. They do not agree with the verb and therefore do not change.

Generally you add **-mente** to the adjective: fácil → fácil**mente** (*easily*), posible → posible (*possibly*);
or to the feminine form of the adjective: lenta → lenta**mente** (*slowly*), rápida → rápida**mente** (*quickly*).

When two adverbs come together in a sentence you drop the first **-mente**:
Estaban hablando lenta y cuidadosamente.   *They were talking slowly and carefully.*

Some adverbs do not end in **-mente**:

siempre	nunca	muy	mucho	poco	bien	mal
rara vez	muchas veces	a menudo	algunas veces	a veces		

> **Note:**
> **Bastante** and **demasiado** can be both adjectives and adverbs.

9 Negatives

To make a negative statement you simply put **no** in front of the verb: No quiero.   No me gusta.

The most common negatives you will need for the exam are:
ninguno (ningún), ninguna   *no* (adjective)
nada   *nothing*   ni ... ni ...   *neither ... nor ...*
nadie   *nobody*   tampoco (negative of también)   *neither*
nunca / jamás   *never / ever*

Note:
When a negative word starts the sentence you do not need to put **no** in front of the verb as well.

10 Interrogatives

To ask a question you need to add question marks at the beginning and end of the sentence:
Tienes hermanos. *You have brothers.*   ¿Tienes hermanos? *Do you have any brothers?*

Some common question words:

¿Qué?   ¿Cuándo?   ¿Cómo?   ¿Dónde?   ¿Quién? / ¿Quiénes?   ¿Cuál? / ¿Cuáles?
¿Cuánto? / ¿Cuánta? / ¿Cuántos? / ¿Cuántas?

Note that they all take accents.

---

11 'Y' and 'o'

Y is always used to mean *and* unless it is followed by **i-** or **hi-**, in which case it changes to **e**:
Paco y Marta   Paco **e I**sabel
geografía y deportes   geografía **e hi**storia   **Note: Y** does not change before **hie-**: bronce y hierro.

O is used to mean *or* unless it is followed by **o-** or **ho-**, in which case it changes to **u**:
seis o siete   siete **u o**cho
hostales o pensiones   hostales **u ho**teles

12 Personal 'a'

This does not translate into English but is used in Spanish as a mark of respect to distinguish persons from things – people from objects – which you are specifically refering to.

Busco **a** mi hermanito.   but   Busco un hombre que me repare el ordenador.

It can be used with objects or animals if you want to express strong feelings:
Quiero **a** mi país enormemente. Adoro **a** mi gatita.

Pronouns

Pronouns are words used to avoid repeating the noun.

13 Subject pronouns

yo	*I*
tú	*you* (familiar)
él / ella / usted	*he / she / it / you* (formal)
nosotros/as	we
vosotros/as	*you* (plural familiar)
ellos / ellas / ustedes	*they / you* (plural formal)

14 Reflexive pronouns

me	os
te	os
se	se

Note: The reflexive pronoun is seldom translated into English.

The subject pronoun is not generally needed in Spanish as the verb ending usually gives this information. You usually use it for emphasis or to avoid ambiguity. When you need to refer to a group of people with one or more males in it you must use the masculine form.

15 Tú / Usted, Vosostros/as / Ustedes

There are four ways of saying *you* in Spanish:

	familiar	*formal*
singular	tú	usted (Often written **vd**, it takes the *he / she* part of the verb.)
plural	vosotros/as	ustedes (Often written **vds**, it takes the *they* part of the verb.)

Tú and **vosotros/as** are used with people you know well and with young people.
Usted and **ustedes** are used with strangers and people you do not know very well or to whom you want to show respect. This is used much more widely in Latin America than in Spain where the **tú** and **vosotros/as** form of address is widely encouraged.

16 Direct object pronouns

me	*me*
te	*you* (familiar)
le, lo, la	*him / her / you* (formal) / *it*
nos	*us*
os	*you* (plural familiar)
les, los, las	*them / you* (plural formal)

17 Indirect object pronouns

me	*to me*
te	*to you* (familiar)
le	*to him / her / you* (formal) / *it*
nos	*to us*
os	*to you* (plural familiar)
les	*to them / to you* (plural formal) / *to it*

> **Note:**
> Two important verbs need an indirect object pronoun: **gustar** and **doler** (see page 188 for details).

Both direct object and reflexive pronouns usually come …
– immediately before the verb:
No la veo.   *I can't see her.*   Sí la quiero.   *Yes, I love her.*
Se llama Lucía.   Literally: *She calls herself Lucía.*

– after the infinitive:
Voy a verla mañana.   *I am going to see her tomorrow.*
Tengo que levantarme temprano.   *I have to get (myself) up early.*

– after the present participle / continuous (although it is now widely accepted to put it in front):
Estoy mirándolo ahora.   *I am looking at it now.*   Está bañándose.   *He is bathing (himself).*

Direct object, indirect object and reflexive pronouns are added to the end of a positive command:
Ponlo aquí. Dame tu libro. Levantaos en seguida.
Póngalo aquí. Deme su libro. Levántense en seguida.

When a direct and indirect object pronoun come together then the indirect comes first:
Mañana se lo diré. Voy a decírselo mañana. Díselo mañana. Dígaselo.

18 Possessive pronouns

These agree with the noun they are replacing.

¿Es tu casa?   *Is it your house?*   Sí, es mía.   *Yes, it's mine.*

singular		*plural*		
masc.	*fem.*	*masc.*	*fem.*	
mío	mía	míos	mías	*mine*
tuyo	tuya	tuyos	tuyas	*yours* (familiar)
suyo	suya	suyos	suyas	*his / hers / yours* (formal)
nuestro	nuestra	nuestros	nuestras	*ours*
vuestro	vuestra	vuestros	vuestras	*yours* (plural familiar)
suyo	suya	suyos	suyas	*theirs / yours* (plural formal)

> **Some useful expressions:**
> ¡Dios mío!   ¡Madre mía!   Un amigo mío   Muy señor mío

If the possessive pronoun does not immediately follow the verb **ser** it needs **el / la / los / las** before it:
Tu casa es más pequeña que **la mía**.

19 Demonstrative pronouns

These take an accent and agree with the noun they are replacing.

singular		*plural*		
masc.	*fem.*	*masc.*	*fem.*	
éste	ésta	éstos	éstas	*this one / these ones* (near to the speaker)
ése	ésa	ésos	ésas	*that one / those ones* (near the person being spoken to)
aquél	aquélla	aquéllos	aquéllas	*that one / those ones over there* (further away)

Hablando de camisas, ésta es mucho más bonita que ésa. Tal vez pero prefiero el color de aquélla.

20 Disjunctive pronouns

These are used after a preposition, (e.g. para, hacia, cerca de).

mí	*me*
ti	*you* (familiar)
él /ella / usted	*him / her / you* (formal)
nosotros/as	*us*
vosotros/as	*you* (plural familiar)
ellos / ellas / ustedes	*them / you* (plural formal)

Este regalo es para ti.
¡Cuidado: el profesor está detrás de vosotros!

Note: conmigo contigo consigo

21 Relative pronouns

Que is always used to mean *which* when you are describing things in Spanish: **el / la / los / las ... que**.
It is never left out of the sentence as it often is in English.

Quien is used to mean *who / whom*:
El chico a quien admiro se llama Paco.

Note:
el cual, la cual, los cuales, las cuales is regarded as stilted and old-fashioned.

22 Prepositions

Prepositions usually indicate where a person or object is.

en   *in, on, by*

en la mesa   en el cuarto de baño   en coche / avión / tren

Note:
a + el = al   Vamos al mercado.
de + el = del   Salen del cine a las siete.

Many other prepositions are followed by **de**: **delante de**, **cerca de**.

Some prepositions are used with an infinitive to mean …-*ing*. (See page 189.)

23 'Por' and 'para'

Por is used to mean:

in exchange for something
Quiero cambiarla por aquella camisa.   *I want to change it for that shirt.*
Gana tres mil por hora.   *He earns 3,000 per hour.*

a period or length of time
Voy a quedarme por un mes.   *I'm going to stay for a month.*

Para is used to show who or what something is for:
Este regalo es para mi padre.   *This present is for my father.*
Un sacacorchos sirve para sacar el corcho.   *A corkscrew is used to remove corks.*

Some useful expressions:
por supuesto   por eso
por lo visto   ¿Por qué?
porque

24 Cardinal numbers

1	uno / una	13	trece	25	veinticinco	80	ochenta
2	dos	14	catorce	26	veintiséis	90	noventa
3	tres	15	quince	27	veintisiete	100	cien(to)
4	cuatro	16	dieciséis	28	veintiocho	200	dos cientos/as
5	cinco	17	diecisiete	29	veintinueve	500	quinientos/as
6	seis	18	dieciocho	30	treinta	700	setecientos/as
7	siete	19	diecinueve	31	treinta y uno	900	novecientos/as
8	ocho	20	veinte	32	treinta y dos	1,000	mil
9	nueve	21	veintiuno	40	cuarenta	2,000	dos mil
10	diez	22	veintidós	50	cincuenta	1,000,000	un millón
11	once	23	veintitrés	60	sesenta	2,000,000	dos millones
12	doce	24	veinticuatro	70	setenta		

The number one (**uno**) and other numbers ending in **uno** or **cientos** agree with the noun they describe. No other numbers agree.

Dos cientos cincuenta gramos de mantequilla por favor.   Tres cientas pesetas.

Uno changes to **un** before a masculine noun:
un litro de leche   veintiún niños

Ciento changes to **cien** before masculine and feminine nouns and before **mil** and **millones**:
Cien gramos de tocineta por favor.   cien niñas   cien mil   cien millones

25 Ordinal numbers

primero	1st	sexto	6th
segundo	2nd	séptimo	7th
tercero	3rd	octavo	8th
cuarto	4th	noveno	9th
quinto	5th	décimo	10th

From *eleventh* onwards cardinal numbers are usually used:
Carlos quinto   Alfonso doce

Note:
El primero de enero es el Año Nuevo.

Ordinal numbers agree with the noun they describe:
primero/a, primeros/as
último/a, últimos/as

Primero changes to **primer**, and **tercero** changes to **tercer** before a masculine noun:
El primer piso del edificio.
Es el tercer viaje y la tercera vez que perdemos el tren este año.

Expressions of time

26 Clock time

To talk about time you need to use the word hora except in the general expression **Cómo vuela el tiempo** (*Doesn't time fly!*).

¿Qué hora es?
Es la una.
Es la una y cinco / y diez etc.
Es el mediodía.
Es la medianoche.

Son las dos / tres / cuatro etc.
Son las tres y cuarto / y media.
Son las cinco menos veinte / menos cuarto.

a eso de las tres *at about three o' clock*   sobre las cinco *around five*

27 Days of the week

lunes	*Monday*	viernes	*Friday*
martes	*Tuesday*	sábado	*Saturday*
miércoles	*Wednesday*	domingo	*Sunday*
jueves	*Thursday*		

In Spanish the days of the week are written with a small letter except at the beginning of a sentence.

28 Months of the year

enero	*January*	julio	*July*
febrero	*February*	agosto	*August*
marzo	*March*	se(p)tiembre	*September*
abril	*April*	octubre	*October*
mayo	*May*	noviembre	*November*
junio	*June*	diciembre	*December*

In Spanish the months of the year are not usually written with a capital letter except at the beginning of a sentence.

29 Dates

el primer de abril   *April 1st*
el dos de mayo   *May 2nd*
el tres de junio   *June 3rd*

30 Other expressions of time

el lunes pasado, la semana pasada	*last Monday, last week*
ayer, anteayer	*yesterday, the day before yesterday*
mañana, pasado mañana	*tomorrow, the day after tomorrow*
el año que viene, el mes entrante	*next year, next month*
en Semana Santa / Navidades	*during Holy Week, at Christmas*
por la mañana / tarde / noche	*in the morning / afternoon / evening*
al amanecer, al atardecer	*at dawn, at dusk*
durante las vacaciones	*during the holidays*
después de las clases	*after school*
el otro día	*the other day*
hace una semana	*a week ago*

For actions that started in the past and continue in the present, you can use the following expressions:

¿Desde cuándo vives aquí?	*How long have you lived here?*
Vivo aquí desde hace tres años.	*I've lived here for three years.*
Hace tres años que vivo aquí.	
Llevo tres años viviendo aquí.	

Verbs

A verb indicates *what* is happening in a sentence and the tense indicates *when*.
The verb ending shows *who* is carrying out the action.

31 The infinitive

The infinitive is the form in which verbs are given in a dictionary, and in the vocabulary section (see page 198).

If a verb is regular you can use the infinitive to tell you which endings to use for each tense and person.
In Spanish, regular verbs fall into three groups depending on the last two letters of the infinitive:

-ar (e.g. **comprar**)   **-er** (e.g. **comer**)   **-ir** (e.g. **subir**)

Each group follows a pattern which you will need to understand (see verb tables on page 190).

The infinitive is often used after another verb. (A list of the most common is given on page 189.)
Quiero mirar la tele esta noche.   *I want to watch TV tonight.*
Me gustaría ir al cine.   *I would like to go to the cinema.*

You can also make a verb do the work of a noun:
El hablar es prohibido en la biblioteca.   *No speaking in the library.*
Ver es creer.   *Seeing is believing.*

32 The present tense

The present tense is used to indicate what is happening now, or happens regularly.

Regular verbs

-AR (comprar)	**-ER** (comer)	**-IR** (subir)
compr**o**	com**o**	sub**o**
compr**as**	com**es**	sub**es**
compr**a**	com**e**	sub**e**
compr**amos**	com**emos**	sub**imos**
compr**áis**	com**éis**	sub**ís**
compr**an**	com**en**	sub**en**

Reflexive verbs
levantarse

me levant**o**
te levant**as**
se levant**a**
nos levant**amos**
os levant**áis**
se levant**an**

Irregular verbs

The most common you will need are:

ser – soy eres es somos sois son

estar – estoy estás está estamos estáis están

hacer – hago haces hace hacemos hacéis hacen

ir – voy vas va vamos vais van

tener – tengo tienes tiene tenemos tenéis tienen

Radical-changing verbs change their stem in the 1st, 2nd, and 3rd person singular and the 3rd person plural.

u → ue: jugar – juego juegas juega jugamos jugáis juegan

o → ue: poder – puedo puedes puede podemos podéis pueden

e → ie: preferir – prefiero prefieres prefiere preferimos preferís prefieren

e → i: pedir – pido pides pide pedimos pedís piden

> **Note:**
> hay   *there is / there are*

33 The present continuous

The present continuous is used to indicate what is happening at the time of speaking, or when one action happening at the same time as another.

It is formed by taking the present tense of estar and the present participle of the main verb:

-ar → -ando   estoy habl**ando**   *he is talking*

-er → -iendo   está com**iendo**   *I am eating*

-ir → -iendo   estamos escrib**iendo**   *we are writing*

> **Exceptions:**
> leyendo, durmiendo, divirtiendo

It is often used after the verb **pasar** to express how you spend time:

Paso mi tiempo divirtiéndome, haciendo deporte.   *I spend my time enjoying myself, doing sport.*

34 The future tense

The future tense is used to say what will happen or take place.

Regular verbs

The future tense of regular verbs is formed by taking the infinitive and adding the correct ending:

-AR (comprar)	**-ER** (subir)	**-IR** (comer)
compraré	comeré	subiré
comprarás	comerás	subirás
comprará	comerá	subirá
compraremos	comeremos	subiremos
compraréis	comeréis	subiréis
comparán	comerán	subirán

Another way to say that something is going to happen is to use **ir a** and add the infinitive:

Voy a escribir una carta.   *I'm going to write a letter.*

¿A qué hora vas a venir?   *At what time are you going to come?*

Irregular verbs

These have the same endings as regular verbs, but the *stem* changes instead. Here are the most common:

decir → diré, dirás, …   querer → querré, …

haber → habré, …   saber → sabré, …

hacer → haré, …   salir → saldré, …

poder → podré, …   tener → tendré, …

poner → pondré, …   venir → vendré, …

35 The conditional tense

The conditional tense indicates an idea of what would, could or should happen.
It is formed by taking the infinitive of regular verbs and adding the correct ending:

-AR (comprar)	**-ER** (comer)	**-IR** (subir)
compraría	comería	subiría
comprarías	comerías	subirías
compraría	comería	subiría
compraríamos	comeríamos	subiríamos
compraríais	comeríais	subiríais
comparían	comerían	subirían

Note:
The endings are the same as for the imperfect tense of **haber**.

Irregular conditionals have the same endings as the regular verbs – it is the *stem* which changes.
The irregulars are the same as for the future tense.

36 The preterite tense

The preterite tense is used to indicate an action which began and ended in the past.

Regular verbs

The preterite tense of regular verbs is formed by taking the infinitive, removing the **-ar**, **-er**, or **-ir** and adding the correct ending:

-AR (comprar)	**-IR** (comer)	**-ER** (subir)
compr**é**	com**í**	sub**í**
compr**aste**	com**iste**	sub**iste**
compr**ó**	com**ió**	sub**ió**
compr**amos**	com**imos**	sub**imos**
compr**asteis**	com**isteis**	sub**isteis**
compr**aron**	com**ieron**	sub**ieron**

Irregular verbs

Here are the most common. They are given in full in the verb tables (see page 190).
(Note that there are no accents.)

andar   dar   estar   hacer   ir   poder   poner   ser   tener   ver   venir

Note:
ser and **ir** have the same form:
The context will show you the correct meaning:
Fue al bar   *He went to the bar.*   Fue profesor   *He was a teacher.*

Some verbs change their spelling in the first person:
c → que: tocar – toqué   sacar – saqué   g → gu: jugar – jugué   llegar – llegué

Some radical-changing verbs change in the he / she / you (formal), and the they / you (plural formal) forms:
e → i: vestir – vistió, vistieron   sentir – sintió, sintieron
o → u: dormir – durmió, durmieron

37 The imperfect tense

The imperfect tense is used to indicate what used to happen, what was happening or what someone or something was like in the past.

Regular verbs

It is formed by removing **-ar**, **-er**, or **-ir** ending from the infinitive and then adding the correct ending:

-AR (comprar)	**-ER** (comer)	**-IR** (subir)
compr**aba**	com**ía**	sub**ía**
compr**abas**	com**ías**	sub**ías**
compr**aba**	com**ía**	sub**ía**
compr**ábamos**	com**íamos**	sub**íamos**
compr**abais**	com**íais**	sub**íais**
compr**aban**	com**ían**	sub**ían**

Irregular verbs

There are only three:

(ir)	(ser)	(ver)
iba	era	veía
ibas	eras	veías
iba	era	veía
íbamos	éramos	veíamos
ibais	erais	veíais
iban	eran	veían

Note:
The endings for **-er** and **-ir** verbs are the same.

38 The imperfect continuous

The imperfect continuous is similar to the present continuous but is used to describe something that was happening or taking place in the past but which is now finished.

It is formed by the imperfect form of **estar** – **estaba** – and the present participle of the main verb:
¿Qué estabas haciendo?   *What were you doing?*
Estaba bañándome.   *I was taking a bath.*
¿Qué es lo que estaba pasando?   *What was happening?*
Estaban divirtiéndose bastante.   *They were really enjoying themselves.*

39 The perfect tense

This is used to indicate an action that happened (began and ended) in the same period of time as the speaker or writer is describing. It is also used in questions which do not refer to any particular time. You will mostly need this for the oral part of for your exam.

It is formed by using the present tense of **haber** ('the auxilliary verb') plus the past participle of the verb you want to use.

	-AR	-ER	-IR	Reflexive
(haber)	(comprar)	(comer)	(subir)	(cortarse)
he	comprado	comido	subido	me he cortado
has				te has …
ha				se ha …
hemos				nos hemos …
habéis				os habéis
han				se han

Note:
Reflexive verbs in the perfect tense need the reflexive pronoun before the auxilliary verb **haber**.

Compound verbs have the same irregular past participle as the original verb:
cubrir → cubierto
so descubrir → descubierto

Some common irregular past participles:

abrir → abierto	morir → muerto	cubrir → cubierto	poner → puesto	decir → dicho
romper → roto	escribir → escrito	ver → visto	hacer → hecho	volver → vuelto

40 The pluperfect tense

This tense is used to indicate an action that had happened and was completed before another action took place in the past.

It has two parts: the imperfect form of **haber** ('the auxilliary verb') plus the past participle of the verb you want to use.

(haber)   See the perfect tense above for the irregular past participles.
había
habías   (comprar) comprado
había   (comer) comido
habíamos   (subir) subido
habíais
habían

41 The subjunctive

The subjunctive is not a tense – it is a mood. It can be used in the present, past and future tenses. It is used quite frequently in Spanish. You will mainly need to use it:

– after **cuando** when talking about the future and using some other expressions of time.

– in polite and negative commands.

– when you or the person in the main clause (the main part of the sentence) express a wish, want, doubt or an emotion such as fear or joy, and this influences what happens in the subordinate clause (the secondary part of the sentence):
Tengo miedo de que vayan al cine.   *I'm afraid that they are going to the cinema.*

– when forbidding something, giving permission, orders, or advice, or making requests:
Quiero que vayas al cine.   *I want you to go to the cinema.*

If both clauses have the same subject (person) you can use the infinitive instead of the subjunctive in the subordinate clause:
Quiero ir al cine.   *I want to go to the cinema.*

To form the present subjunctive you take the first person form (**yo**) of the present tense of the verb you want. You drop the last letter **-o** and then add the correct ending:

-ar verbs change to **-e**   **-er** and **-ir** verbs change to **-a**

-AR (comprar)	**-ER** (comer)	**-IR** (subir)
compr**e**	com**a**	sub**a**
compr**es**	com**as**	sub**as**
compr**e**	com**a**	sub**a**
compr**emos**	com**amos**	sub**amos**
compr**éis**	com**áis**	sub**áis**
compr**en**	com**an**	sub**an**

Verbs with an irregular first person follow the same rule:
salir – salgo → salga, …
hacer – hago → haga, …

Radical-changing verbs follow their same pattern of change in the 1st, 2nd, 3rd and 6th forms.

Note the following common irregular verbs:

estar: esté, estés, esté, estemos, estéis, estén
dar: dé, dés, dé, demos, deis, den
saber: sepa, sepas, sepa, sepamos, sepáis, sepan
ser: sea, seas, sea, seamos, seáis, sean
ir: vaya, vayas, vaya, vayamos, vayáis, vayan

The past subjunctive will be rarely needed for your exam purposes but you should be aware of the following useful phrases:
(querer) quisiera   (ser) si fuera rico   (tener) si tuviera

42 The imperative

The imperative is used for giving commands and instructions.

	tú	*vosotros/as*	*usted*	*ustedes*
-AR (comprar)	compra	comprad	compre	compren
-ER (comer)	come	comed	coma	coman
-IR (subir)	sube	subid	suba	suban

Irregular verbs in the tú form:

decir → di	poner → pon	tener →ten
hacer → haz	salir → sal	venir → ven
oír → oye	ser → sé	ir → ve

Note:
Reflexive verbs in the vosotros form drop the **-d** and add the reflexive pronoun to the end of the verb:
levantad + os → levantaos
sentad + os → sentaos

43 The passive

This is formed by using the appropriate part of the verb **ser** plus the past participle (which agrees with the person or object just like an adjective).

El presidente es un hombre tan sabio que **es respetado** por todo el mundo.
The president is a very wise man who is respected throughout the world.
El acueducto de Segovia **fue construído** por los Romanos.
The aquaduct in Segovia was built by the Romans.

It is not used as much in Spanish as it is in English.

44 'Ser' and 'estar'

Both of these verbs mean *to be* but they are used to indicate different circumstances.

Ser denotes time and a permanent situation or quality, character or origin:
Son las cinco en punto.   *It's exactly five o'clock.*
Es abogado y es muy bueno.   *He's a very good lawyer.*
¡Qué listo eres!   *Aren't you clever!*

Estar denotes position and a temporary situation, state of health or mood:
Tus libros están encima del piano.   *Your books are on top of the piano.*
Estás muy guapa hoy.   *You look very nice today.*
¿Estás listo?   *Are you ready?*

It is also used when a change has taken place:
¿Está vivo o está muerto? Está muerto.   *Is he alive or dead? He's dead.*
Mi hermano estaba casado pero ya está divorciado.   *My brother was married but now he's divorced.*

45 Verbs commonly used in the third person

gustar   encantar   interesar   molestar   preocupar   hacer falta   doler

The subject is often a singular or plural idea or thing:
Me interesa mucho esa idea.   *I'm very interested in that idea.*
Te encanta la música ¿verdad?   *You love music don't you?*
Nos hacen falta unas vacaciones.   *We need a holiday.*

46 Impersonal verbs

Se is often used to indicate the idea of *one* or *you / we* in a generalised way (often in notices) and to avoid using the passive.

Aquí se habla inglés.	*English is spoken here.*
Se prohibe tirar basura.	*Do not throw litter.*
Se ruega guardar silencio.	*Please keep quiet.*

Other useful impersonal expressions:

es menester   es preciso   es necesario   hay que   se puede   doler

Es menester salir temprano.	*We must leave early.*
Es preciso estar listo a tiempo.	*You (one) must be ready on time.*
Me duele la cabeza.	*My head hurts.*

---

47 Expressions which take an infinitive

acabar de *(to have just done something)*:
acabo de entrar
I have just come in.

soler *(usually)*:
Suelo levantarme temprano.
I usually get up early.

ponerse a *(to set about doing something)*:
Me pongo a estudiar.
I'm starting to study.

volverse a *(to do something again)*:
Vuelve a salir.
He's going out again.

tener que *(obligation, to have to do something)*:
Tengo que cocinar.
I've got to cook / do the cooking.

deber *(to have to do something, 'must')*:
Debemos hablar en voz baja.
We must speak quietly.

Some prepositions are used with an infinitive to mean ...-*ing*.

antes de	antes de comenzar	*before begining …*
después de	después de terminar	*after finishing …*
al	al entrar	*upon entering …*
en vez de	en vez de llorar	*instead of crying …*

48 Expressions with 'tener', 'dar', and 'hacer'

tener	dar(se)	hacer
cuidado	de comer a	señas
éxito	las doce	cola
frío	las gracias	daño
ganas de	la vuelta	caso de
hambre	los buenos días	hacerse
miedo	pena	el papel de
prisa	cuenta de	hacer algo
razón	prisa	buen / mal tiempo
sed	un paseo	las maletas
sueño	a	lo posible
suerte	la gana	una semana

Verb tables ••••••••••••••••••••••••••••••

Regular verbs

Infinitive	Present	Imperative	Perfect	Present participle	Past participle
-AR	compro		he comprado	comprando	comprado
comprar	compras	compra	has comprado		
to buy	compra	comprad	ha comprado		
	compramos		hemos comprado		
	compráis	compre	habéis comprado		
	compran	compren	han comprado		

	Preterite	Imperfect	Future	Conditional	Subjunctive
	compré	compraba	compraré	compraría	compre
	compraste	comprabas	comprarás	comprarías	compres
	compró	compraba	comprará	compraría	compre
	compramos	comprábamos	compraremos	compraríamos	compremos
	comprasteis	comprabáis	compraréis	compraríais	compréis
	compraron	compraban	comprarán	comprarían	compren

Infinitive	Present	Imperative	Perfect	Present participle	Past participle
-ER	como		he comido	comiendo	comido
comer	comes	come	has comido		
to eat	come	comed	ha comido		
	comemos		hemos comido		
	coméis	coma	habéis comido		
	comen	coman	han comido		

	Preterite	Imperfect	Future	Conditional	Subjunctive
	comí	comía	comeré	comería	coma
	comiste	comías	comerás	comerías	comas
	comió	comía	comerá	comería	coma
	comimos	comíamos	comeremos	comeríamos	comamos
	comisteis	comíais	comeréis	comeríais	comáis
	comieron	comían	comerán	comerían	coman

Infinitive	Present	Imperative	Perfect	Present participle	Past participle
-IR	subo		he subido	subiendo	subido
subir	subes	sube	has subido		
to go up	sube	subid	ha subido		
	subimos		hemos subido		
	subís	suba	habéis subido		
	suben	suban	han subido		

	Preterite	Imperfect	Future	Conditional	Subjunctive
	subí	subía	subiré	subiría	suba
	subiste	subías	subirás	subirías	subas
	subió	subía	subirá	subiría	suba
	subimos	subíamos	subiremos	subiríamos	subamos
	subisteis	subíais	subiréis	subiríais	subáis
	subieron	subían	subirán	subirían	suban

Reflexive verbs

Infinitive	Present	Imperative	Perfect	Present participle	Past participle
levantarse	me levanto		me he levantado	levantando	levantado
to get up	te levantas	levántate	te has levantado		
	se levanta	levantaos	se ha levantado		
	nos levantamos		nos hemos levantado		
	os levantáis	levántese	os habéis levantado		
	se levantan	levántense	se han levantado		

Radical-changing verbs

Infinitive	Present	Imperative	Present participle	Past participle
pensar	pienso		pensando	pensado
to think	piensas	piensa		
	piensa	pensad		
	pensamos			
	pensáis	piense		
	piensan	piensen		
volver	vuelvo			
to return	vuelves	vuelve	volviendo	vuelto
	vuelve	volved		
	volvemos			
	volvéis	vuelva		
	vuelven	vuelvan		
sentir	siento		sintiendo	sentido
to feel	sientes	siente		
	siente	sentid		
	sentimos			
	sentís	sienta		
	sienten	sientan		
dormir	duermo		durmiendo	dormido
to sleep	duermes	duerme		
	duerme	dormid		
	dormimos			
	dormís	duerma		
	duermen	duerman		
pedir	pido		pidiendo	pedido
to ask for	pides	pide		
	pide	pedid		
	pedimos			
	pedís	pida		
	piden	pidan		

The most common irregular verbs

Infinitive	Present	Future	Preterite	Imperfect	Present paticiple	Past participle
dar	doy	daré	di	daba	dando	dado
to give	das	darás	diste	dabas		
	da	dará	dio	daba		
	damos	daremos	dimos	dábamos		
	dais	daréis	disteis	dabais		
	dan	darán	dieron	daban		
decir	digo	diré	dije	decía	diciendo	dicho
to say	dices	dirás	dijiste	decías		
	dice	dirá	dijo	decía		
	decimos	diremos	dijimos	decíamos		
	decís	diréis	dijisteis	decíais		
	dicen	dirán	dijeron	decían		
estar	estoy	estaré	estuve	estaba	estando	estado
to be	estás	estarás	estuviste	estabas		
	está	estará	estuvo	estaba		
	estamos	estaremos	estuvimos	estábamos		
	estáis	estaréis	estuvisteis	estabais		
	están	estarán	estuvieron	estaban		
haber	he	habré	hube	habia	habiendo	habido
to have	has	habrás	hubiste	habias		
(auxilliary)	ha	habrá	hubo	había		
	hemos	habremos	hubimos	habíamos		
	habeis	habréis	hubisteis	habíais		
	han	habrán	hubieron	habían		
hacer	hago	haré	hice	hacía	haciendo	hecho
to do /	haces	harás	hiciste	hacías		
to make	hace	hará	hizo	hacía		
	hacemos	haremos	hicimos	hacíamos		
	hacéis	haréis	hicisteis	hacíais		
	hacen	harán	hicieron	hacían		
ir	voy	iré	fui	iba	yendo	ido
to go	vas	irás	fuiste	ibas		
	va	irá	fue	iba		
	vamos	iremos	fuimos	íbamos		
	vais	iréis	fuisteis	ibais		
	van	irán	fueron	iban		

Infinitive	Present	Future	Preterite	Imperfect	Present paticiple	Past participle
oír	oigo	oiré	oí	oía	oyendo	oído
to hear	oyes	oirás	oíste	oías		
	oye	oirá	oyó	oía		
	oímos	oiremos	oímos	oíamos		
	oís	oiréis	oísteis	oíais		
	oyen	oirán	oyeron	oían		
poder	puedo	podré	pude	podía	pudiendo	podido
to be able	puedes	podrás	pudiste	podías		
	puede	podrá	pudo	podía		
	podemos	podremos	pudimos	podíamos		
	podéis	podréis	pudisteis	podíais		
	pueden	podrán	pudieron	podían		
poner	pongo	pondré	puse	ponía	poniendo	puesto
to put	pones	pondrás	pusiste	ponías		
	pone	pondrá	puso	ponía		
	ponemos	pondremos	pusimos	poníamos		
	ponéis	pondréis	pusisteis	poníais		
	ponen	pondrán	pusieron	ponían		
querer	quiero	querré	quise	quería	queriendo	querido
to want /	quieres	querrás	quisiste	querías		
to love	quiere	querrá	quiso	quería		
	queremos	querremos	quisimos	queríamos		
	queréis	querréis	quisisteis	queríais		
	quieren	querrán	quisieron	querían		
reír	río	reiré	reí	reía	riendo	reído
to laugh	ríes	reirás	reíste	reías		
	ríe	reirá	rió	reía		
	reímos	reiremos	reímos	reíamos		
	reís	reiréis	reísteis	reíais		
	ríen	reirán	rieron	reían		
saber	sé	sabré	supe	sabía	sabiendo	sabido
to know	sabes	sabrás	supiste	sabías		
	sabe	sabrá	supo	sabía		
	sabemos	sabremos	supimos	sabíamos		
	sabéis	sabréis	supisteis	sabíais		
	saben	sabrán	supieron	sabían		

Infinitive	Present	Future	Preterite	Imperfect	Present paticiple	Past participle
salir	salgo	saldré	salí	salía	saliendo	salido
to go out	sales	saldrás	saliste	salías		
	sale	saldrá	salió	salía		
	salimos	saldremos	salimos	salíamos		
	salís	saldréis	salisteis	salíais		
	salen	saldrán	salieron	salían		
ser	soy	seré	fui	era	siendo	sido
to be	eres	serás	fuiste	eras		
	es	será	fue	era		
	somos	seremos	fuimos	éramos		
	sois	seréis	fuisteis	erais		
	son	serán	fueron	eran		
tener	tengo	tendré	tuve	tenía	teniendo	tenido
to have	tienes	tendrás	tuviste	tenías		
	tiene	tendrá	tuvo	tenía		
	tenemos	tendremos	tuvimos	teníamos		
	tenéis	tendréis	tuvisteis	teníais		
	tienen	tendrán	tuvieron	tenían		
traer	traigo	traeré	traje	traía	trayendo	traído
to bring	traes	traerás	trajiste	traías		
	trae	traerá	trajo	traía		
	traemos	traeremos	trajimos	traíamos		
	traéis	traeréis	trajisteis	traíais		
	traen	traerán	trajeron	traían		
venir	vengo	vendré	vine	venía	viniendo	venido
to come	vienes	vendrás	viniste	venías		
	viene	vendrá	vino	venía		
	venimos	vendremos	vinimos	veníamos		
	venís	vendréis	vinisteis	veníais		
	vienen	vendrán	vinieron	venían		

•• Preguntas claves •••••••••••••••••••••

Detalles personales

¿Cómo te llamas?

¿Cuál es tu apellido / nombre?

¿Cómo se escribe?

¿Puedes / Sabes deletrearlo?

¿Dónde vives?

¿Cuál es tu dirección?

¿Está cerca o lejos del colegio?

¿Cuál es tu teléfono?

¿Sabes enumerarlo?

¿Cuánto mides?

¿Qué talla eres?

¿Qué número calzas?

¿Cuánto pesas?

¿De qué nacionalidad eres?

¿De dónde eres?

¿Cuándo es tu cumpleaños?

¿Cuál es tu signo?

¿Cuál es tu piedra preferida / tu color preferido?

¿Cuántos años tienes?

¿Cuál es tu fecha de nacimiento?

¿Cuál es tu lugar de nacimiento?

¿De qué color tienes el pelo?

¿De qué color son tus ojos?

¿Cómo eres?

¿Cuáles son tus características principales?

¿Cuántas personas hay en tu familia?

¿Cuáles son?

¿Cómo son? Descríbeme …

¿Cómo se llaman?

¿Tienes animales domésticos? ¿Cuáles?

Tiempo libre y pasatiempos

¿Cuál es tu pasatiempo preferido?

¿Cómo pasas tú, tu tiempo?

¿Qué haces para divertirte?

¿Practicas algún deporte?

¿Eres fanático de algún equipo?

¿Por qué te gusta / lo haces?

¿Cuándo lo haces?

¿Cuántas veces a la semana?

¿Cuánto tiempo pasas haciéndolo?

¿Dónde lo haces?

¿Con quién lo haces?

¿Qué otra cosa te gustaría hacer?

¿Qué clase de música te gusta?

¿Qué tipo de libro / revista te gusta leer?

¿Qué programa de tele te gusta más?

¿Qué miras a la tele?

¿Cuántas horas pasas mirando la tele?

¿Qué clase de película(s) te gusta(n) más?

Trabajo y dinero

¿Tienes un empleo?

¿Qué trabajo haces?

¿Desde cuándo trabajas?

¿Es a tiempo parcial / completo?

¿Dónde trabajas?

¿Qué opinas de tu trabajo?

¿Cuánto ganas?

¿Es por hora / media jornada?

¿Recibes dinero de bolsillo?

¿Quién te lo da?

¿Cada cuánto lo recibes?

¿Cómo lo gastas?

Rutinas diarias

¿Qué haces en la casa para ayudar?

¿Cuántas veces a la semana?

¿A qué hora te levantas generalmente durante la semana?

¿Y el fin de semana qué sueles hacer?

¿Qué desayunas por lo general?

¿Qué clase de comida te gusta más?

¿A qué hora sales de la casa?

El colegio

¿Cómo viajas al colegio?

¿Cuánto tiempo dura el viaje?

¿A qué hora comienzan / terminan los cursos?

¿Almuerzas en la cantina?

¿Cómo es tu colegio?

¿Tiene biblioteca / campo de deporte?

Describe el edificio.

¿Tienes que llevar uniforme? ¿Qué tal es?

¿En qué asignaturas vas bien / eres fuerte / sacas buenas notas?

¿En qué asignaturas vas regular / mal?

¿Qué asignaturas prefieres? ¿Por qué?

¿Qué asignaturas no te gustan? ¿Por qué?

¿Cuánto tiempo hace que estudias el castellano / español?

¿Hablas otros idiomas?

¿Qué se hace en tu colegio como servicio voluntario?

¿Recoges dinero para Agencias Internacionales como la Cruz Roja?

Ambiciones

¿Cuáles son tus metas para el semestre / año entrante?

¿Qué ambiciones tienes? ¿Qué te gustaría hacer en la vida? ¿Por qué?

¿Vas a continuar estudiando? ¿Qué carrera te gustaría seguir?

¿Has hecho tu práctica laboral / de empresas / de trabajo?

¿Cómo te fue? / ¿Qué tal te fue?

En casa

¿Cómo es tu casa / apartamento?

¿De qué tamaño es?

¿Cuántas/os plantas / pisos / cuartos hay?

¿Tiene jardín / patio / terraza?

¿Cuándo fue construido/a?

¿Cómo es el estilo?

¿Tienes una habitación grande o pequeña?

¿Compartes con tus hermanos o es para ti solo?

¿Qué muebles tiene?

¿Qué más hay adentro?

¿De qué color es?

¿De qué te quejas en tu casa?

¿De qué se quejan de ti?

El barrio

¿Cómo es tu barrio?

¿Qué tipo de barrio es?

¿Dónde está situado?

¿Qué hay que hacer allí?

Salud

¿Cómo estás de salud?

¿Qué tienes? / ¿Qué te pasa?

¿Cómo te sientes? / ¿Cómo te encuentras?

¿Hay algo que te preocupa?

¿Qué te da miedo? ¿De qué tienes miedo?

El año

¿Qué época del año te gusta más? ¿Por qué?

¿Cómo es el clima? ¿Qué tiempo hace?

¿Qué festival te interesa / gusta?

¿Cuándo, qué y cómo se celebra?

¿Cuál es tu opinión?

¿Qué hiciste para tu último cumpleaños?

¿Has recibido unos regalos? ¿De quién?

Las vacaciones

¿Adónde fuiste de vacaciones?

¿Con quién fuiste?

¿En qué época del año fue?

¿Qué tiempo hizo?

¿En qué fecha viajaste?

¿Qué hiciste de interesante?

¿Qué museos visitaste?

¿Qué monumentos viste?

¿Cómo viajaste?

¿Qué tal fue el viaje?

¿Visitaste algo interesante ?

¿Dónde te alojaste?

¿Qué compraste?

¿Qué comiste de diferente?

¿Cuánto tiempo estuviste allí?

¿Has estado allí antes?

¿Qué aspectos no te gustaron?

¿Cómo se compara con otras vacaciones / lugares?

¿Lo recomendarías ? ¿Qué tal te parecía / pareció?

Opiniones

¿Cuál es tu opinión sobre … la moda / los anuncios y propaganda / los deportes / tu colegio?

.. Frases para diálogos ....

Direcciones
¿Por dónde se va a ...?
¿Dónde está(n) ...?
¿Está(n) lejos?
¿Está(n) cerca?
¿A qué distancia está(n) ...?

La hora
¿A qué hora sale / va a salir / saldrá?
¿A qué hora llega / va a llegar / llegará?
¿A qué hora abre / cierra?
¿A qué hora comienza / termina?

Transporte
¿De dónde sale / llega?
¿Adónde va?
Va directo.
¿Qué línea es?
Hay que / Habrá que cambiar
¿Dónde bajamos?

De compras
¿En qué planta está ...?
¿En qué puedo servirle?
¿Tiene usted ...?
Deme ... por favor.
Necesito ...
¿Cuánto cuesta?
¿Cuánto es?
¿Cuánto vale?
¿Algo más?

Información
Se puede ...
Es posible ...
¿Me hace el favor de ...?
¿Tiene folleto / información sobre ...?
¿Qué facilidades hay / habrá?
¿Qué me aconseja?
Quisiera cambiar / comprar / hablar con ...
¿Qué más necesita?
Sólo tengo ...
¿Cuánto tiempo ...?
¿Desde cuándo ...?
¿Qué tipo de ...?
¿Qué clase de ...?

La comida
¿A qué sabe ...?
¿Has probado ...?
¿Qué quieres tomar / comer?

Objetos perdidos
¿Qué ha perdido usted?
¿Cómo es?
¿Qué marca es?
¿Qué contiene?
¿De qué está hecho?
¿De qué material es?
¿De qué se trata?
¿En qué consiste?
¿Qué te hace falta?
¿Qué quieres hacer?
¿Qué pasó? .
¿Qué tal te parece?

Extras
Repita la frase / pregunta por favor.
No sé todavía.
No he decidido todavía.
Depende.
Por supuesto.
De acuerdo.
Sí, a menudo / a veces.
Pues ...
A lo mejor
Quizás.
Claro.
Ya lo sé.
Lo siento.
Gracias, (no) me gusta(n).
Vale.
¡Qué va!
¿Verdad?
¡Vaya, qué tontería!
¡Hombre!
¡Mujer!
¡Caramba!
¡Felicidades!

Vocabulario español–inglés ● ● ● ● ● ●

This vocabulary section contains the most common words which appear in the book, as well as some which appear in the reading materials which are essential to understanding the item. Where a word has several meanings only those which occur in the book are given.

Verbs marked * indicate stem changes or spelling changes; those marked ** are irregular.

Abreviations: *m.* = masculine noun; *f.* = feminine noun; *pl.* = plural; *fam.* = familiar, slang.

a partir de from
abogado *m.* lawyer
abrigo *m.* coat
abril *m.* April
abrir to open
abuelo/a *m./f.* grandfather / grandmother
aburrido/a bored; boring
acabar (de) to (just) finish
aceite (de oliva) *m.* (olive) oil
aceituna *m.* olive
aconsejar to advise
acordarse (de) to remember
acostar(se) to go to bed; to put to bed
actriz *f.* actress
actualmente actually, now
adelante forward
además besides
adentro inside, within
¿adónde? where to?
aduana *f.* customs
afeitar(se) to shave
afuera outside
agosto *m.* August
agradecer to thank
agua potable *f.* drinking water
agudo/a sharp
ahogarse to drown
ahorrar to save
aire libre open air, fresh air
aislado lonely
ajedrez *m.* chess
ajo *m.* garlic
albaricoque *m.* apricot
albergue juvenil *m.* youth hostel
alcalde *m.* mayor
alcázar *m.* fortress
aldea *f.* village, hamlet
alegrar(se) to be happy
alemán German
Alemania *f.* Germany
alfombra *f.* carpet
algo something
algodón *m.* cotton

alguien somebody
alguno/a some
almacén *m.* store, shop
almendra *f.* almond
almohada *f.* pillow
almorzar to have lunch
alojamiento *m.* lodgings, accommodation
alojarse to stay
alpinismo *m.* climbing
alquilar to hire
alrededor around
ama de casa *f.* housewife
amanecer to dawn
amarillo/a yellow
ambiente *m.* atmosphere
ambos/as both
América del sur *f.* South America
amistad *f.* friendship
ancho/a wide
andaluz(a) Andalucian
**andar ** ** to walk
andén *m.* (railway) platform
anillo *m.* ring
anoche last night
anteayer the day before yesterday
anublado/a cloudy
anuncio *m.* advert
añadir to add
aparcamiento *m.* car park
apellido *m.* surname
apenas hardly
aprobar * to pass (exams)
aprovechar(se) de to take advantage of
apuntes *m.pl.* notes
aquel that; that one
árbol *m.* tree
arena *f.* sand
argentino/a Argentine
armario *m.* wardrobe
arreglar(se) to get ready
arriba above
arroz *m.* rice
asado/a roasted

ascensor *m.* lift
asco *m.* disgust
así so, thus
asignatura *f.* school subject
asistir a to take part in; to be present
aspiradora *f.* vacuum cleaner
asturiano/a Asturian
atar to tie (up)
aterrizar to land (plane)
atrás behind
atravesar * to cross (over)
aula *f.* classroom
aún still, yet
aun even so; even if
aunque although
austríaco/a Austrian
autocar *m.* coach
autopista *f.* motorway
autoservicio self service
avión *m.* airplane
avisar to warn
ayer yesterday
ayudar to help
Ayuntamiento *m.* town hall
azafata *f.* air hostess
azúcar *m.* sugar
azul blue

bacalao *m.* cod
bachillerato *m.* school leaving exam
bailar to dance
bajar to go down
balón *m.* football
bandera *f.* flag
bañarse to bathe, to have a bath
baño *m.* bath
barato/a cheap
barba *f.* beard
barco *m.* boat
barrer to sweep
barrio *m.* quarter (in town), area
bastante enough
basura *f.* rubbish
beber to drink

bebida *f.* drink
belga Belgian
besar to kiss
biblioteca *f.* library
bienvenido/a welcome
bigote *m.* moustache
billete *m.* ticket
bizcocho *m.* biscuit
blanco/a white
boca *f.* mouth
bocadillo *m.* sandwich;
  fam. speech bubble
boda *f.* wedding
bodega *f.* wine cellar
bolera *f.* bowling alley
bolígrafo *m.* biro
bolsillo *m.* pocket
bombero *m.* fireman
borracho/a drunk
borrador *m.* rubber
bosque *m.* woods
botella *f.* bottle
brazo *m.* arm
brillar to shine
brisa *f.* breeze
británico/a British
broncearse to tan; to sunbathe
broma *f.* joke
bueno/a good
burro *m.* donkey
buscar to look for
buzón *m.* letter box

caballero *m.* gentleman
caballo *m.* horse
cabeza *f.* head
cabra *f.* goat
cada each
cadena *f.* chain; TV channel
caer(se) ★ to fall
cafetería *f.* café
caja *f.* box
cajero automático *m.* cash point
calamares *m.pl.* squid, baby octopus
calcetín *m.* sock
calefacción *f.* heating
calidad *f.* quality
calor *m.* heat
calvo/a bald
callar(se) to be quiet
calle *f.* street
cama *f.* bed
camarero *m.* waiter
cambiar to change

camino *m.* pathway, road
camión *m.* lorry
camisa *f.* shirt
camiseta *f.* T shirt
campana *f.* bell
campo *m.* field; countryside
Canal de la Mancha *m.* English
  Channel
canción *f.* song
cancha *f.* sports field; court
cangrejo *m.* crab
(hacer de) canguro to babysit
cansado/a tired
cantábrico/a Cantabrian
cantar to sing
cantidad *f.* quantity
cantina *f.* canteen
caña de pescar *f.* fishing rod
capaz capable
cara *f.* face
caramba my goodness me!
caramelo *m.* sweet
cárcel *f.* prison
Caribe Caribbean
cariño *m.* love
carne *f.* meat
carnet de conducir *m.* driving
  licence
caro/a expensive; dear
carrera *f.* career
carretera *f.* main road
carta *f.* letter
cartero *m.* postman
cartón *m.* cardboard
casa *f.* house
casado/a married
casi almost
castaño/a chestnut brown
castañuelas *f.pl.* castanets
castellano/a Spanish; Castillian
Castilla *f.* Castille
castillo *m.* castle
castigar to punish
catalán/ana Catalan
Cataluña Catalunya
catedral *f.* cathedral
católico/a Catholic
(a) causa (de) because of
cebolla *f.* onion
cena *f.* supper
cenicero *m.* ashtray
central telefónica *f.* telephone
  exchange
cepillo *m.* brush

cerámica *f.* pottery
cerca de near to
cereza *f.* cherry
cerilla *f.* match
cero zero
cerrar (con llave) to close, (to lock)
cerveza *f.* beer
césped *m.* lawn, turf
cesta *f.* basket
ciego/a blind
cielo *m.* sky
ciencia *f.* science
cierto/a sure, certain
cigarrillo *m.* cigarette
cinta *f.* tape
cintura *f.* waist
cinturón (de seguridad) *m.* (seat)
  belt
circo *m.* circus
circulación *f.* traffic
cita *f.* appointment; date
ciudad *f.* city
claro/a clear
clave key, major
cliente *m.* client, customer
cobro revertido *m.* reverse charge
cobrador *m.* bus conductor
cocina *f.* kitchen
coche *m.* car
código postal *m.* post code
codo *m.* elbow
coger ★ to catch; to grab
cojo/a lame; one legged
cole *m.fam.* school
cola *f.* queue
colchón *m.* mattress
colegio *m.* school
colgar ★ to hang up
colina *f.* hill
colocar(se) to place, to put
collar *m.* collar; necklace
comedor *m.* dining room
comenzar ★ to begin
comer to eat
comercio *m.* business, commerce
comida *f.* food; meal
comisaría *f.* police station
como as, like
cómodo/a comfortable
compañero/a *m./f.* colleague;
  classmate
compartir to share
comprar to buy
comprobar to check

comunicando engaged *(telephone)*
con with
concurrido/a busy, crowded
conducir ★★ to drive
conejo *m.* rabbit
confitería *f.* sweet shop
congelador *m.* freezer
conocer ★ to know
conseguir ★ to get; to manage
consultorio *m.* surgery
contaminación *f.* pollution
contestar to answer
contar ★ to count
contra against
corazón *m.* heart
corbata *f.* tie
corregir ★ to correct
Correos *m.pl.* main Post Office
correr to run
correspondiente *m.* penfriend
corrida *f.* bull fight
cortar to cut
cortés polite
cortina *f.* curtain
corto/a short
cosa *f.* thing
cosecha *f.* harvest
coser to sew
costar ★ to cost
costumbre *f.* custom, habit
crecer to grow
creer ★ to believe
cristal *m.* glass
Cruz Roja *f.* Red Cross
cuaderno *m.* exercise book
cuadrado/a square
cuadro *m.* picture; square
cual which
cuando when
cuanto/a how much; how many
cuarto *m.* room
cubrir to cover
cubo *m.* bucket
cuchara *f.* spoon
cuchillo *m.* knife
cuello *m.* neck
cuenta *f.* bill, account
cuero *m.* leather
cuerpo *m.* body
cuidado be careful!
culpa *f.* blame
cultivar to grow, to cultivate
cumpleaños *m.pl.* birthday
cura *m.* priest

curso *m.* course
cuyo/a whose

chaleco *m.* waistcoat
chalet *m.* detached house
chandal *m.* jersey
chaqueta *f.* jacket
charlar to chat
cheque de viaje *m.* traveller's cheque
chico/a *m./f.* little boy / little girl
chileno/a Chilean
chimenea *f.* chimney
chiste *f.* joke
chocar to crash into
choque *m.* crash
chorizo *m.* pork sausage
chubasco *m.* downpour, squall
chuleta *f.* chop; *fam.* cheat
churros *m.pl.* fritters

daño *m.* damage
dar ★★ to give
darse cuenta de to realise
darse prisa to hurry up
de repente suddenly
debajo (de) underneath
deber to owe; to have to, must
débil weak
decir ★★ to say
dedo *m.* finger
dejar to leave
delante (de) in front of
deletrear to spell
delgado/a thin, slim
demás the other, the rest
demasiado too much; too many
dentro (de) within, inside
dependiente *m.* shop assistant
deporte *m.* sport
derecha right
derechos *m.pl.* rights
desayunar to have breakfast
descansar to rest, to relax
desconocido/a unknown
describir ★★ to describe
descuento *m.* discount
desde (hace) since
desempleo *m.* unemployment
desmayarse to faint
despacio slowly
despedirse ★ to say goodbye
despejado/a clear sky, cloudless
después after
despertar(se) ★ to wake up

destruir ★ to destroy
detalle *m.* detail
detrás (de) behind
día *m.* *day*
diario/a daily
dibujar to draw, to sketch
dibujo animado *m.* cartoon
diciembre *m.* December
diente *m.* tooth
difícil difficult
dígame Who is speaking? *(telephone)*
dinero *m.* money
Dios *m.* God
dirección *f.* address
dirigirse ★ to go towards
dispuesto/a willing
divertirse ★ to enjoy oneself
docena *f.* dozen
dolor *m.* pain
domingo *m.* Sunday
don Mr.
donde where
doña Mrs.
dormir ★ to sleep
dormitorio *m.* bedroom
droguería *f.* chemist shop
ducha *f.* shower
dueño *m.* owner
dulce sweet, kind
duro/a hard

echar to throw out, to eject
edad *f.* age
edificio *m.* building
EE.UU. *m.pl.* USA
ejemplo *m.* example
ejercicio *m.* exercise
ejército *m.* army
elefante *m.* elephant
empezar to start
empleo *m.* employment, job
empresa *f.* company, firm
empujar to push
encantar to enchant; to be delighted with
encima (de) on top of
encontrar(se) ★ to find
enero *m.* January
enfadado/a annoyed, angry
enfermera *f.* nurse
enfrente (de) in front of; opposite
enhorabuena congratulations, well done
enorme enormous, huge

ensalada *f.* salad
enseñar to teach
entender ★ to understand
entonces then
entrada *f.* entrance
entre between
entremeses *m.pl.* starters, hors d'oeuvres
entrevista *f.* interview
enviar to send
envolver ★ to wrap up
época *f.* period of time, epoch, age
equipaje *m.* luggage
equipo *m.* team
equivocarse to make a mistake; to be mistaken
escalera *f.* staircase
escocés/esa Scottish
Escocia *f.* Scotland
escribir ★★ to write
escritorio *m.* desk
escuchar to listen to
escuela *f.* school
ese/a that; that one
espalda *f.* back
España *f.* Spain
español(a) Spanish
espectáculo *m.* show
espejo *m.* mirror
esposo *m.* husband
esquí *m.* skiing
esquina *f.* corner
estación *f.* station
Estados Unidos *m.pl.* United States of America
estanco *m.* tobaccanist shop
este *m.* east
este/a this; this one
estómago *m.* stomach
estrecho/a tight; narrow
estrella *f.* star
etapa *f.* stage of growth or plan
Europa *f.* Europe
éxito *m.* success
extranjero/a foreigner

fábrica *f.* factory
fácil easy
falda *f.* skirt
faltar to lack, to need
farmacia *f.* chemist shop
fatal *fam.* awful, rotten
febrero *m.* February
fecha *f.* date

felicidades congratulations
feliz happy
feo/a ugly
ferrocarril *m.* railway
ficha *f.* card
fiebre *f.* fever; temperature
fiesta *f.* party; festival
fin de semana *m.* weekend
finca *f.* farm
flaco/a thin, skinny
flojo/a lazy
flor *f.* flower
folleto *m.* folder
fondo *m.* bottom of
formación *f.* training
formulario *m.* form
frambuesa *f.* raspberry
francés/esa French
Francia *f.* France
fregar ★ to wash up; to scrub
fresa *f.* strawberry
frío/a cold
fuego *m.* fire
fuente *f.* fountain
fuera (de) outside
fuerte strong
fumar to smoke

gafas (de sol) *f.pl.* (sun) glasses
galés/esa Welsh
Gales *m.* Wales
gallego/a Galician
galleta *f.* biscuit
gallina *f.* hen
gambas *f.pl.* prawns
ganar(se la vida) to win; (to earn a living)
garganta *f.* throat
gasolina *f.* petrol
gastar to waste; to spend
gato *m.* cat
gazpacho *m.* cold tomato soup
gemelo/a *m./f.* twin
gente *f.* people
gobierno *m.* government.
golpe *m.* blow; kick
goma *f.* rubber
gordo/a fat
grabar to record
gracioso/a funny, amusing
Gran Bretaña *f.* Great Britain
granja *f.* farm
grave serious

Grecia *f.* Greece
griego/a Greek
grifo *m.* tap
gris grey
gritar to shout
grueso/a bulky, solid
guante *m.* glove
guapo/a handsome, attractive
guardia civil *m.* civil guard
guerra *f.* war
guía *m./f.* guide
guisante *m.* pea
guitarra *f.* guitar
gustar to like

haber to have *(auxiliary verb)*
habitación *f.* (bed) room
hablar to speak
hacer ★★ to do, to make
hace falta lack, need
hacia towards
hambre *f.* hunger
harto/a *fam.* fed up
hasta luego see you soon!
hay there is, there are
helado *m.* ice cream
herido/a wounded
hermano/a *m./f.* brother / sister
hermoso/a pretty, good looking
hielo *m.* ice
hierba *f.* grass
hierro *m.* iron
hijo/a *m./f.* son / daughter
hogar *m.* home
hoja *f.* leaf
hola hello!
hombre *m.* man
hombro *m.* shoulder
horario *m.* timetable
hoy today
huele bien it smells good!
huelga *f.* strike
hueso *m.* bone
huevo *m.* egg
húmedo/a damp, wet
humo *m.* smoke

idioma *m.* language
iglesia *f.* church
igual equal
impermeable *m.* raincoat
incendio *m.* fire
incluso including
incómodo/a uncomfortable

increíble incredible
indicar to point out
ingeniero *m.* engineer
Inglaterra *f.* England
inglés/esa English
inmediato/a immediate, close
isla *f.* island
insolación *f.* sunstroke
instituto *m.* institute, secondary school
intercambio *m.* exchange
inundación *f.* flood
inútil useless
invierno *m.* winter
ir ** to go
Irlanda *f.* Ireland
irlandés/esa Irish
irse ** to go away
izquierda *f.* left

jabón *m.* soap
jamás never, ever
jamón (serrano) *m.* (cured) ham
jarabe *m.* syrup
jardín *m.* garden
jefe *m.* boss, leader
jerez *m.* sherry
joven young
joya *f.* jewel
judías (verdes) *f.pl.* (green) beans
juego *m.* game
jueves *m.* Thursday
juez *m.* judge
jugar * to play
julio *m.* July
junio *m.* June
justo/a just
juventud *f.* youth

kilómetro *m.* kilometre

labio *m.* lip
lado *m.* side
ladrón *m.* thief
lago *m.* lake
lana *f.* wool
langosta *f.* lobster
largo/a long
lápiz *m.* pencil
lástima *f.* pity
lata *f.* tin
lavabo *m.* washbasin
lavadora *f.* washing machine
lavaplatos *m.* dish washer

lavar(se) to wash
leche *f.* milk
lechuga *f.* lettuce
leer * to read
legumbres *pl.* vegetables
lejos (de) far (from)
lengua *f.* tongue; language
lento/a slow
levantarse to get up
letrero *m.* notice
ley *f.* law
libra esterlina *f.* English pound
libre free
librería *f.* book shop
libro *m.* book
ligero light
limón *m.* lemon
limpiar to clean
lindo/a pretty
liso/a smooth; straight
listo/a ready; witty
loco/a mad
Londres *m.* London
luego then, next
lugar *m.* place
luna (de miel) *f.* (honey) moon
lunes *m.* Monday
luz *f.* light
llamar(se) to (be) call(ed)
llave *f.* key
llegar to arrive
llenar to fill up
llevar to wear; to carry
llorar to cry
llover * to rain
lluvia *f.* rain

madera *f.* wood
madre *f.* mother
madrugada *f.* dawn, early morning
maestro *m.* master; teacher
maleta *f.* suitcase
malo/a bad, wicked
mandar to send
manera *f.* manner, way, fashion
mano *f.* hand
mantequilla *f.* butter
manzana *f.* apple
mañana *f.* morning
mapa *m.* map
máquina *f.* machine
mar *m./f.* sea
marchar(se) to leave, to go away

marearse to be seasick, to feel dizzy
marido *m.* husband
mariscos *m.pl.* seafood
marrón brown
martes *m.* Tuesday
marzo *m.* March
más more
matar to kill
matrimonio *m.* wedding; married couple
mayo *m.* May
mayor greater; bigger; older
media pensión *f.* half board
medianoche *f.* midnight
médico *m.* doctor
medio ambiente *m.* environment
mediodía *m.* midday
mejicano/a Mexican
Méjico *m.* Mexico
mejilla *f.* cheek
mejillones *m.pl.* mussels
mejor better
melocotón *m.* peach
menor lesser; younger; smaller
menos less
mentira *f.* lie
menudo/a small
mercado *m.* market
Mercado Común *m.* Common Market
merienda *f.* tea; snack; picnic
mes *m.* month
mesa *f.* table
meseta *f.* plateau
meta *f.* goal, aim
meter to put
miedo *m.* fear
miel *f.* honey
miembro *m.* member
mientras meanwhile, whilst
miércoles *m.* Wednesday
mirar to look
misa *f.* mass
mismo/a same
mitad *f.* half
moda *f.* fashion
mojado/a wet
molestar to annoy
moneda *f.* money; coin
montaña *f.* mountain
montar a caballo to go horse riding
morder * to bite
moreno/a dark skinned; dark haired
morir * to die

mosca *f.*   fly
mostaza *f.*   mustard
mostrar ★   to show
mozo *m.*   young man
muchacho/a *m./f.*   boy / girl
muchedumbre *f.*   crowd
mucho/a   much, a lot
mueble *m.*   furniture
muela *f.*   tooth
muerto/a   dead
mujer *f.*   woman
multa *f.*   fine
mundo *m.*   world
muñeca *f.*   doll; wrist
museo *m.*   museum
muslo *m.*   thigh
muy   very

nacer ★   to be born
nada   nothing
nadar   to swim
nadie   nobody, no one
naranja *f.*   orange
nariz *f.*   nose
natación *f.*   swimming
Navidad *f.*   Christmas
niebla *f.*   fog
negro/a   black
nevar ★   to snow
nevera *f.*   fridge
ni ... ni ....   neither ... nor ...
nieto/a *m./f.*   grandson/daughter
nieve *f.*   snow
ningún   none, no
niño/a *m./f.*   boy / girl
nivel *m.*   level
noche *f.*   night
Nochebuena *f.*   Christmas Eve
Nochevieja *f.*   New Year's Eve
nombre *m.*   name
norte *m.*   north
noticias *f.pl.*   news
noviembre *m.*   November
novio/a *m./f.*   boy/girlfriend; fiancé
nube *f.*   cloud
nublado/a   cloudy
nuevo/a   new
número *m.*   number
nunca   never

obra *f.*   work (of art)
obrero *m.*   workman
octubre *m.*   October
ocupado/a   occupied, busy

oeste *m.*   west
oficina *f.*   office
oiga   hello, who's there? (telephone)
oír ★★   to hear
ojalá   if only!; *fam.* you wish!
ojo *m.*   eye
OjO   take care, watch out!
ola *f.*   wave
olé   bravo!
olor *m.*   smell
olvidar(se) de   to forget (about)
opuesto/a   opposite; opposed to
ordenador *m.*   computer
oreja *f.*   ear
orilla *f.*   shore; river bank
oro *m.*   gold
oscuro/a   dark
otoño *m.*   Autumn
otro/a   other
oveja *f.*   sheep

padre *m.*   father
paella *f.*   paella
pagar   to pay
página *f.*   page
país *m.*   country
País Vasco *m.*   Basque Country
paisaje *m.*   countryside; landscape
pájaro *m.*   bird
palabra *f.*   word
pan *m.*   bread
pantalón *m.*   trousers
pantalla *f.*   screen
pañuelo *m.*   handkerchief
papel *m.*   paper
par   even
para   for; in order to
parada *f.*   stop
parabrisas *m.*   windscreen
paraguas *m.*   umbrella
pararse   to stop
parecido/a   similar
pared *f.*   wall
pariente *m./f.*   relation, relative
paro *m.*   unemployment
partido *m.*   match
pasado mañana   the day after tomorrow
pasajero *m.*   passenger
pasarlo bien / mal   to have a good / bad time
pasatiempo *m.*   hobby, pastime
Pascuas *f.*   Easter
pasearse   to stroll, to have a walk

paseo *m.*   walk, stroll
pasillo *m.*   passage way
pastilla *f.*   pill
patinar   to skate
patio *m.*   courtyard; patio
pato *m.*   duck
pavo *m.*   turkey
peaje *m.*   toll
pecho *m.*   chest
pedazo *m.*   piece, slice
pedir ★   to ask for
peinarse   to do your hair; to comb
película *f.*   film
peligro *m.*   danger
pelirrojo/a   redhaired; redhead
pelo *m.*   hair
pelota *f.*   ball
peluquería *f.*   hairdressers
pena *f.*   grief, sorrow
pensar ★   to think
pensión *f.*   board and lodgings
peor   worse
pequeño/a   small
perder ★   to lose
perezoso/a   lazy
periódico *m.*   newspaper
pero   but
permiso *m.*   permission; excuse me!
permitir ★   to allow, to give permission
perro *m.*   dog
persiana *f.*   roller blind
pesar   to weigh
pescado *m.*   fish
peseta *f.*   peseta
peso *m.*   peso
pez *m.*   fish
picante   spicy
picar   to sting
pie *m.*   foot
piedra *f.*   stone
piel *f.*   skin
pierna *f.*   leg
pimiento *m.*   pepper
piña *f.*   pineapple
Pirineos *m.pl.*   Pyrenees
piscina *f.*   swimming pool
piso *m.*   floor level; flat
planchar   to iron
planta baja   ground floor
plátano *m.*   banana, plantain
playa *f.*   beach
plaza *f.*   square
pobre   poor; unfortunate
poco/a   few, a little

poder ** to be able

polideportivo *m.* sports hall

pollo *m.* chicken

poner(se) (a) ** to put; to begin to

por for; on behalf of

porque because

por qué why?

por supuesto of course

portugués/esa Portuguese

postre *m.* dessert

precio *m.* price

preguntar to ask

premio *m.* prize

prensa *f.* press

primavera *f.* spring

primero/a first

primo/a *m./f.* cousin

príncipe *m.* Prince

principio *m.* beginning

procedente de coming from

prohibido/a forbidden

pronóstico *m.* forecast

pronto/a ready; early

propina *f.* tip

propio/a own

próximo/a near, close; next

prueba *f.* proof

pueblo *m.* village

puente *m.* bridge

puerta *f.* door

puerto *m.* port

pues well then

puesto que since

pulsera *f.* bracelet

que which

quedar(se) to stay, to remain

querer ** to wish; to want; to love

querer decir ** to mean

queso *m.* cheese

quien who(m)

química *f.* chemistry

quince días *m.pl.* fortnight

quinto/a fifth

quiosco *m.* kiosk, stand, stall

quisiera I wish; I would like

quizá(s) perhaps

quitar(se) to take away, to remove

rape close shaved haircut

rasgar to scratch

ratón *m.* mouse

rato(s) (libres) *m. (pl.)* short (free) time

razón *f.* reason

realizar to realise; to fulfil

rebaja *f.* reduction

recado *m.* message

receta *f.* recipe

recibir to receive

recibo *m.* receipt

recoger ★ to collect; to tidy

recordar ★ to remember

recreo *m.* break time

recto/a straight

redondo/a round

refresco *m.* refreshment

regalar to give a present

regla *f.* ruler

regresar to go back, to return

reina *f.* queen

Reino Unido *m.* United Kingdom

reír(se) ★ to laugh

reloj *m.* watch

rellenar to fill up; to complete *(form)*

remedio *m.* remedy

RENFE *f.* national railway

repetir ★ to repeat

reserva *f.* reservation

resfriado *m.* cold

respirar to breathe

retraso *m.* delay

retrete *m.* lavatory

(al) revés inside out

revista *f.* magazine

rey *m.* king

riesgo *m.* risk

rincón *m.* corner

río *m.* river

risa *f.* laughter

rizado/a curly

rodilla *f.* knee

rojo/a red

romper to break

ronco/a hoarse

ropa *f.* clothes

roto/a broken

rubio/a fairhaired, blond

ruido *m.* noise

sábado *m.* Saturday

sábana *f.* sheet

saber ** to know

sabor *m.* taste, flavour

sacar ★ to take out

sal *f.* salt

sala *f.* (sitting) room

salado/a salty

salchicha *f.* sausage

salida *f.* exit, way out

salir ★ to go out

salud *f.* health

saludar to greet, to say hello

sangre *f.* blood

sartén *f.* frying pan

sastre *m.* suit

seco/a dry

seda *f.* silk

(en) seguida immediately

seguir ★ to follow

según according to

segundo/a second

sello *m.* stamp

semáforo *m.* traffic lights

semana *f.* week

Semana Santa *f.* Holy Week

sencillo/a simple

sentar(se) ★ to sit (down)

sentir(se) ★ to feel

señal *f.* sign

señor *m.* Mr.; man

señora *f.* Mrs.; woman

sé(p)timo/a seventh

ser ** to be

serio/a serious

servicio *m.* service

se(p)tiembre *m.* September

sexto/a sixth

si if

sí yes

SIDA *m.* Aids

siempre always

lo siento ★ I'm sorry

sierra *f.* mountain range

siesta *f.* afternoon nap

significar to mean

siguiente following, next

silencio *m.* silence

silla *f.* chair

simpático/a kind, nice

sin without

sin embargo nevertheless, however

sino but

sobre *m.* envelope

sobre on top of

sobresaliente excellent

sobrino/a *m./f.* nephew / niece

socorro *m.* help

sol *m.* sun

solamente only

soldado *m.* soldier

soler ★ to be used to; (usually)
solo/a alone
sólo only
soltero/a unmarried
sombra *f.* shade, shadow
sombrero *m.* hat
sonreír ★ to smile
sonrisa *f.* smile
sordo/a deaf
sorprender to surprise
sorpresa *f.* surprise
sortija *f.* ring
sótano *m.* basement
suave smooth
subir to go up; to climb
sucio/a dirty
sudar to sweat
Suecia *f.* Sweden
sueco/a Swedish
sueldo *m.* wage
suelo *m.* ground
sueño *m.* dream; sleep
suerte *f.* luck
Suiza *f.* Switzerland
suizo/a Swiss
súper *f.* four star petrol
suponer ★★ to suppose
susto *m.* fright

tabacalera *f.* tobaccanist shop
tal vez perhaps
talla *f.* size
taller *m.* workshop
tamaño *m.* size
también also, as well
tampoco neither, not … either
tan so, as
tanto … (como …) as … (as …)
tapas *f.pl.* snacks
taquilla *f.* ticket office
tardar en to take time
tarde late
tarea *f.* task
tarifa *f.* tariff, price list
tarjeta *f.* card
taza *f.* cup
teatro *m.* theatre
techo *m.* roof
tejado *m.* (roof) tile
tela *f.* material
tempestad *f.* storm
templado/a warm, mild
temprano/a early
tenedor *m.* fork

tener ★★ to have
tercero/a third
terminar to finish
ternera *f.* calf; veal
terraza *f.* terrace; pavement café
tibio/a warm
tiempo *m.* weather; time
tienda *f.* shop
tierra *f.* land
tijeras *f.pl.* scissors
timbre *m.* bell
tinto *m.* red wine
tío/a *m./f.* uncle / aunt
tirita *f.* plaster
toalla *f.* towel
tobillo *m.* ankle
tocar ★ to touch
tocino *m.* bacon
todavía still, yet
todo/a all
tomar to take
tonto/a silly
tormenta *f.* storm
torneo *m.* tournament
toro *m.* bull
torpe clumsy
tortilla *f.* omelette
tortuga *f.* tortoise
tos *f.* cough
trabajar to work
traer ★★ to bring
traducir ★★ to translate
tragar to swallow
traje *m.* dress; suit
tranquilo/a quiet, calm
tras behind
tratar(se) de to be about
travieso/a naughty
triste sad
trozo *m.* piece, slice
turrón *m.* nougat

último/a last
único/a unique, only
urbano/a urban
usar to use
útil useful
uva *f.* grape

vaca *f.* cow
vacío/a empty
vale fine! OK!
valer ★ to be worth
valle *m.* valley

vaqueros *m.pl.* jeans
vasco/a Basque
vaso *m.* glass
vecino/a *m./f.* neighbour
vehículo *m.* vehicle
vela *f.* candle
venda *f.* bandage
vender to sell
venir ★★ to come
ventaja *f.* advantage
ventana *f.* window
ver ★★ to see
verano *m.* summer
verdad *f.* truth
verde green
verdura(s) *f.pl.* greens, vegetables
vestido *m.* dress; suit
vez *f.* time, occasion
vida *f.* life
viajar to travel
vidrio *m.* glass
viejo/a old
viento *m.* wind
vientre *m.* stomach
viernes *m.* Friday
vinagre *m.* vinegar
vino *m.* wine
vista *f.* view
viudo/a *m./f.* widow / widower
vivir to live
Vizcaya *f.* Biscay
volar ★ to fly
volver ★ to return
vomitar to be sick, to vomit
voz *f.* voice
vuelo *m.* flight

wáter *m.* lavatory

ya already, now
yerno/a *m./f.* brother/sister-in-law

zanahoria *f.* carrot
zapato *m.* shoe
zumo *m.* fruit juice

Mapas

Countries and nationalities

All countries are feminine except for those marked *el* or *los*.

País	*Nacionalidad*	*País*	*Nacionalidad*
Africa	africano/a	Colombia	colombiano/a
Alemania	alemán/ana	Costa Rica	costarricense
Antillas	antillano/a	Cuba	cubano/a
Argentina	argentino/a	Dinamarca	danés/esa
Australia	australiano/a	el Ecuador	ecuatoriano/a
Austria	austríaco	Escocia	escocés/esa
Bélgica	belga	España	español(a)
Bolivia	boliviano/a	los Estados Unidos (EEUU)	estadounidense
el Brasil	brasilero/a	Filipinas	filipino/a
el Canadá	canadiense	Francia	francés/esa
la República Checa	checo/a	el Gales	galés/esa
el Chile	chileno/a	Gran Bretaña	británico/a
China	chino/a	Grecia	griego/a
Chipre	chipriota	Guatemala	guatemalteco/a

País	*Nacionalidad*	*País*	*Nacionalidad*
Holanda	holandés/esa	el Pakistán	pakistani
Honduras	hondureño/a	el Panamá	panameño/a
Hungría	húngaro/a	el Paraguay	paraguayo/a
India	indio/a	el Perú	peruano/a
Inglaterra	inglés/esa	Polonia	polonés/esa
Irlanda	irlandés/esa	el Portugal	portugués/esa
Italia	italiano/a	Rusia	ruso/a
Jamaica	jamaicano/a	El Salvador	salvadoreño/a
el Japón	japonés/esa	Slovaquia	slovaco/a
el Méj(x)ico	mej(x)icano/a	Suecia	sueco/a
Nicaragua	nicaragüense	Suiza	suizo/a
Noruega	noruego/a	Trinidad	trinitario/a
Nueva Zelanda	neozelandés/esa	Turquía	turco/a
		el Uruguay	uruguayo/a
		Venezuela	venezolano/a

Indice de gramática • • • • • • • • • • • • • • • • •

This index shows you where to look for help with grammar.
The numbers after each entry tell you which section of the Gramática gives information and examples.
The numbers given in brackets show you the relevant Oriéntate and Taller section where the grammar point is practised.